MANUALIDADES Y ARTESANÍAS CREATIVAS

Con técnicas
fáciles y prácticas

Dirección y supervisión de obra y edición
Equipo Editorial

Investigación y producción de trabajos
Magda Acevedo
Bimba Elduayen
Noemí Giannicola
Alina Piattelli
Marisa Pugliese
Tere Zabala

Fotografías especiales
Estela Figueras
Juan Jaume
Alina Piattelli
Federico Viera

Catalogación en la fuente

Manualidades y artesanías creativas / diseño, producción y explicación de los trabajos
Magda Acevedo... [et al.]. -- Montevideo, Rep. Oriental del Uruguay : Latinbooks
International, 2008.
264 p. : il. ; 20 x 28 cm.

ISBN 978-9974-679-46-7

1. ARTESANÍAS. 2. MANUALIDADES. 3. FLORES SECAS. 4. PATINADO.
5. MUÑEQUERÍA. I. Acevedo, Magda, coaut. II. Elduayen, Bimba, coaut. III. Zabala,
Tere, coaut. IV. Giannicola, Noemí, coaut. V. Piattelli, Alina, coaut. VI. Pugliese, Marisa,
coaut.
CDD 745

Todos los derechos reservados
© **CULTURAL LIBRERA AMERICANA S.A. MMIV**
Buenos Aires - Rep. Argentina

Presente edición
© **LATINBOOKS INTERNATIONAL S.A.**
Montevideo - Rep. O. del Uruguay
info@latinbooksint.com - www.latinbooksint.com

ISBN: 978-9974-679-46-7

Impreso en D'VINNI S.A.
Colombia

Edición 2008

MANUALIDADES Y ARTESANÍAS CREATIVAS

Con técnicas fáciles y prácticas

CONCEPTO®

LATINBOOKS

A modo de presentación

El objetivo de este libro es brindar técnicas sencillas
para la realización de distintas labores. Constituye,
por lo tanto, una práctica orientación que guía a las
mujeres de hoy en la creación de variadas artesanías.
Para regalar y regalarse, aquí encontrarán útiles
propuestas y novedosas técnicas que, combinadas
con los materiales tradicionales, se utilizan en el diseño
de objetos decorativos artesanales.
¡Qué emoción, contemplar el asombro de los nuestros
al ver lo que hicimos!
¡Qué cálida sensación, recibir una sonrisa, un beso,
un abrazo de una amiga o un familiar, al ser agasajados
con un regalo preparado por nosotras mismas!
Esto no es difícil, todas podemos animarnos a crear.
Quienes ya tienen experiencia podrán desarrollar aun más
sus habilidades con nuevas técnicas, descubriendo
y ampliando el increíble mundo de la creatividad.

- COUNTRY
- MUÑEQUERÍA
- PINTURA DECORATIVA
- FLORES SECAS

- PAPEL
- PATINADO
- METALES
- OTROS MATERIALES

La obra que presentamos consta de 8 capítulos; cada uno agrupa las distintas manualidades de acuerdo con las técnicas y los materiales utilizados, y permitirá realizar artesanías modernas y prácticas.

En el último capítulo se presentan los moldes, en tamaño natural, completando así una obra muy práctica para las amas de casa y todas las mujeres interesadas en la producción de artesanías, ya sea como pasatiempo o como interés comercial. También se han incluido breves notas complementarias referidas a los diversos materiales utilizados, con los distintos nombres con que se encuentran en el mercado, y recuadros que amplían la información sobre algunos de los materiales empleados.

Para contribuir a la lectura ágil de esta obra, el departamento de arte ofrece un novedoso diseño, que incluye cintillos con el nombre del capítulo y de la artesanía, la separación dentro de cada tema con un patrón sucesivo en cuatro colores y recuadros con sugerencias útiles para tener en cuenta.

Todas nuestras inquietudes se pueden manifestar a través de estas creaciones hechas con velas, jabones, vasijas, cajas y latas, entre muchos otros materiales, adornados con flores o decorados con nuestros diseños y una amplia gama de colores...

Las invitamos a comenzar juntas la aventura de crear. ¡Manos a la obra!

Los editores

Índice

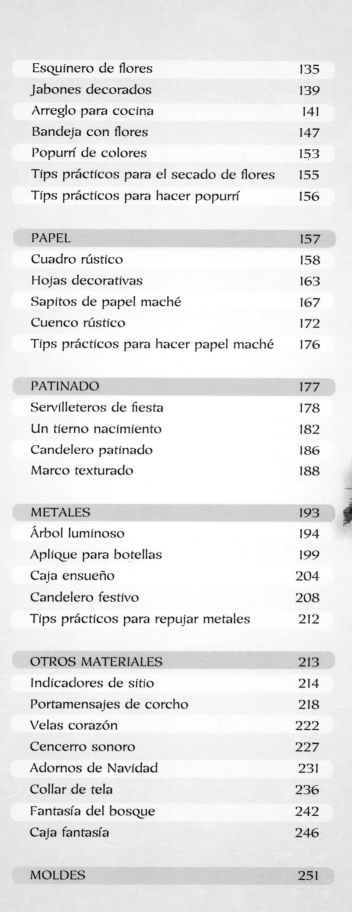

GUÍA DE EQUIVALENCIAS DE PESOS Y MEDIDAS

Longitud (Length)

Equivalencia sistema métrico decimal	Sistema anglosajón
2.54 cm	1 inch (pulgada)
30.48 cm	1 foot (pie) = 12 inches
0.91 m	1 yard (yarda) = 3 feet
201.17 m	1 furlong = 220 yards
1.61 km	1 mile (milla) = 8 furlong

Superficie (Square measures)

Equivalencia sistema métrico decimal	Sistema anglosajón
0.40 ha	4840 square yards = 1 acre (yardas cuadradas)

Peso (Weight)

Equivalencia sistema métrico decimal	Sistema anglosajón
28.35 g	1 ounce (onza)
0.45 kg	1 pound (libra) = 16 ounces
6.45 kg	1 stone (piedra) = 14 pounds
50.80 kg	1 hundredweight = 8 stones (quintal)
1 016 kg	1 ton = 20 hundredweights (tonelada)

Capacidad (Liquid measures)

Equivalencia sistema métrico decimal	Sistema anglosajón
0.57 l	1 pint (pinta)
1.14 l	1 quart (cuarta) = 2 pints
4.54 l	1 gallon (galón) = 4 quarts

Equivalencias con medidas utilizadas en Estados Unidos de América

Equivalencia sistema métrico decimal	Sistema anglosajón
0.118 l	1 US liquid gill
0.473 l	1 US liquid pint
0.946 l	1 US liquid quart = 2 pints
3.785 l	1 US gallon = 4 quarts

Peso (weight)

Equivalencia sistema métrico decimal	Sistema anglosajón
45.36 kg	1 hundredweight = 100 pounds
907.18 kg	1 ton = 20 short hundredweights

COUNTRY

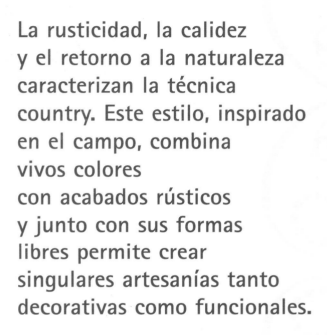

La rusticidad, la calidez
y el retorno a la naturaleza
caracterizan la técnica
country. Este estilo, inspirado
en el campo, combina
vivos colores
con acabados rústicos
y junto con sus formas
libres permite crear
singulares artesanías tanto
decorativas como funcionales.

El concepto básico de este
tipo de arreglos es fusionar
distintas técnicas y materiales
y reciclar objetos que quedaron
en desuso, ya sea porque
dejaron de gustar o porque
cumplieron su vida útil.
Se pueden renovar
o añejar todos los trabajos,
conforme con la técnica
que se elija y de acuerdo con
nuestro deseo personal.

CUADROS COMBINADOS

Texturas rústicas combinadas con delicadas flores, para estos cuadros tan sencillos de realizar.

it's Fat

Materiales

- Cortes de fibrofácil (MDF).
- Listones de madera.
- Enduido plástico (pasta muro o pasta mural).
- Esténcil (estarcido).
- Espátula.
- Paño.
- Fijador.
- Sellador.
- Látex: ocre, sombra.
- Acrílicos: azul eléctrico, rojo indio, abocado, verde musgo.
- Cinta de enmascarar.
- Martillo.
- Pinceles: cerda chato, sintético redondo N.° 5, liner.

1 Cortar un cuadrado de fibrofácil (MDF) de 20 x 20 cm. En el comercio donde se adquiere este material se puede solicitar que lo corten.

Fibrofácil

El **fibrofácil** es una mezcla de pequeñas partículas de madera, generalmente pinos, y colas especiales, prensadas en condiciones controladas de presión y temperatura. Se conoce también como **MDF** (Medium Density Fiberboard) o "Tableros de densidad media".

2 Distribuir el enduido (pasta muro o pasta mural) con espátula en distintas direcciones. Procurar que quede la misma textura, alisando el enduido (pasta muro o pasta mural) sobre la superficie del cuadrado.

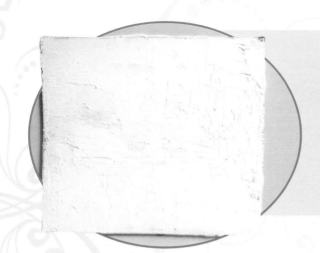

3 Una vez terminado el trabajo de igualar la textura del enduido (pasta muro o pasta mural) sobre el cuadrado de fibrofácil (MDF), dejar secar como mínimo durante 24 horas.

Esténcil

El **esténcil** (*stencil* en inglés), también llamado **estarcido**, es una técnica de decoración que consiste en utilizar una plantilla con una zona recortada para aplicar pintura con la forma de esa zona.

4 Colocar el esténcil sobre el cuadrado de fibrofácil y sujetarlo con cinta de enmascarar. Pasar cuidadosamente el enduido (pasta muro o pasta mural) y dejar secar. Si se desea más volumen repetir la operación.

5 Colocar el esténcil sobre el cuadrado de fibrofácil y espatular con enduido (pasta muro o pasta mural) cada uno de los ángulos en forma prolija.

6 Aplicar sellador fijador sobre el cuadrado de fibrofácil (MDF) cubierto de enduido (pasta muro o pasta mural) con pincel de cerda. Inmediatamente comenzar a pasar látex ocre y verde abocado con pizca de sombra, pincelado en cruz.
Retirar con paño húmedo el sobrante, ponceando.
El sellador actúa como glaceador.

7 Pasar sellador fijador a los pétalos y luego pincelar con acrílico azul eléctrico.
Retirar el exceso de pintura con un paño humedo. Pintar las hojas y los tallos con acrílico verde musgo; esfumar alrededor con sombra aguada.

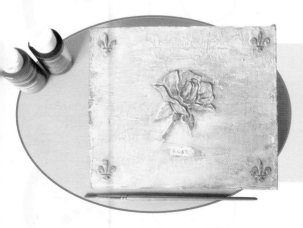

8 Utilizando un pincel fino, escribir el nombre de cada flor con acrílico a punto tinta debajo de cada figura, con trazos parejos.

CUADROS COMBINADOS

9 Utilizar rojo indio con sombra bien aguada y realizar vetas de distintos grosores y longitudes con pincel liner.
Los detalles de los ángulos se hacen con verde abocado.

10 Para trabajar los listones de madera es necesario lijar y golpear con el martillo algunos sectores, para dar un efecto más rústico y viejo.
Preparar una mezcla con una parte de aceite de lino, dos partes de trementina y óleo marrón, y mezclar bien.
Pincelar los listones de madera de forma pareja y dejar secar.
Pasar cera en pasta natural con un paño de algodón.
Dejar secar y lustrar.

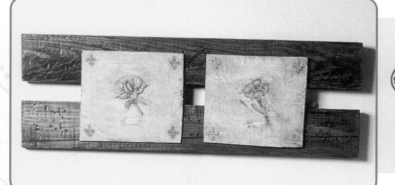

11 Si el diseño se arma en sentido horizontal, se obtiene otra opción diferente del modelo terminado que vimos en la página 10.

ÁNGELES CUSTODIOS

Este delicado ángel de la paz, de la bondad y de la salud, puede adornar nuestro árbol navideño.

Country

Materiales

- Guata.
- Puntilla de 2 cm de ancho.
- Alambre forrado blanco.
- Cordón dorado.
- Listón (cinta) de organza dorada.
- Listón (cinta) de organza con alambre.
- Esfera de telgopor N.° 3.
- Porcelana color piel.
- Barba de viejo.
- Fibra marrón.
- Acrílicos negro y blanco.
- Pincel redondo N.° 1.
- Cono de telgopor mediano.
- Pistola encoladora.
- Tijera.

1 Pasar los moldes del patrón del cuerpo y de la manga sobre cartulina y recortarlos. Colocar las plantillas sobre la guata, marcar los contornos y recortar.

Ver molde en pág. 252

Telgopor

El **telgopor** es un material poroso de textura gomosa, producto del poliestireno expandido.

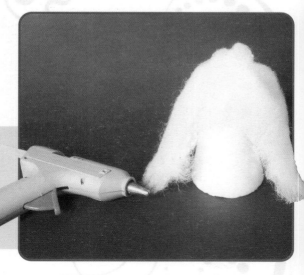

2 Utilizando la pistola encoladora, pegar con cuidado la guata al cono de telgopor, para formar el cuerpo del ángel.

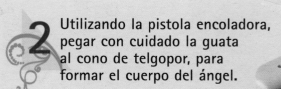

3 Cortar 16 cm de puntilla y fruncir para formar un círculo. Cortar 18 cm de listón (cinta) de organza dorada y 32 cm de listón (cinta) de organza con alambre y hacer un lazo (moño) con cada una. Luego, cortar 9 cm de alambre forrado blanco y pegarle un trozo de guata en un extremo para formar la manito. Para la coronita, cortar 13 cm de alambre blanco, pasar el cordón dorado y formar un aro pequeño.

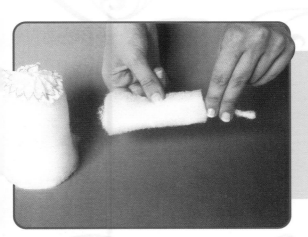

4 Pegar la puntilla fruncida en el cuerpo para formar el cuello.
Para el brazo, pegar el rectángulo de la manga al alambre forrado blanco.

5 Insertar el palillo en el centro de la esfera de telgopor y forrar con porcelana. Dejar secar. Luego, pintar los ojos y la boca con el pincel N.° 1 redondo y los acrílicos. Con la pistola encoladora, pegar la barba de viejo para hacer el cabello del ángel.

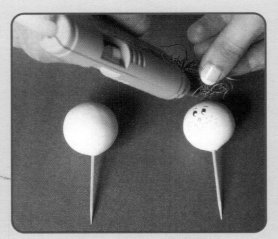

Country

6 Una vez dibujado el rostro y puesto el cabello, colocar la pequeña cabeza del ángel en el cono de telgopor (ya decorado con la puntilla en la zona superior, que simulará el cuello). Fijar la cabeza al cuerpo con el palillo.

7 Realizar un lazo (moño) con el listón (cinta) de organza. Con la pistola encoladora pegarlo con el alambre en la espalda del angelito, simulando las alas. Luego adherir la pequeña corona en la cabeza, que representa la típica aureola angelical.

8 El paso final consiste en realizar un lazo o moño con el listón o cinta de organza. Pegarlo sobre la puntilla del cuello con la pistola encoladora. Ya está el modelo terminado.

ÁNGELES CUSTODIOS

9 Aquí se puede ver el modelo terminado junto con otras opciones. Con un poco de creatividad e ingenio, se pueden diseñar otros modelos utilizando distintos materiales como flores secas, otros colores en los listones (cintas) a aplicar, y otros accesorios, como diamantinas.

UN PAPÁ NOEL DIFERENTE

Este simpático Papá Noel comparte nuestra decoración navideña, observando todos los acontecimientos desde un lugar privilegiado en nuestro hogar. ¡Manos a la obra!

UN PAPÁ NOEL DIFERENTE

Materiales

- Tela estampada.
- Lienzo.
- Fieltro (paño lenci) azul y rojo.
- Barba de nailon.
- Listón de grosor fino (cinta bebé) navideño.
- Maceta (tiesto) N.° 3.
- Cascabeles.
- Acrílicos: blanco, negro común.
- Alambre blanco forrado.
- Vellón.
- Guata.
- Pistola encoladora.
- Tijera.
- Alambre dorado.
- Microfibra negra.

1 Transferir al fieltro (paño lenci) los moldes del gorro y las piernas a la tela estampada, marcándola con la micro fibra, alfileres o greda (tiza). Cortar con prolijidad el contorno dibujado, dejando medio centímetro de la marca para la costura.

Ver molde en pág. 253

2 Transferir a la tela estampada los moldes de las mangas marcándola con micro fibra, alfileres o greda (tiza). Sobre el lienzo, realizar la misma operación con la cara, las manos y la nariz.

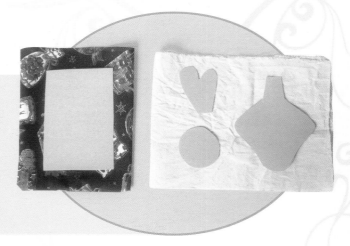

Country

3 Cortar y coser del lado del revés las manos. Se deben dar vuelta las piezas para rellenarlas con vellón o guata. Colocarlas en un extremo de la manga. Ajustar el puño con una bastilla.

4 Coser las botas y el gorro también del lado del revés. Luego dar vuelta las piezas. Se pueden rellenar con vellón o guata también las botas, para darles volumen. Siguiendo el mismo procedimiento, coser y rellenar las piernas.

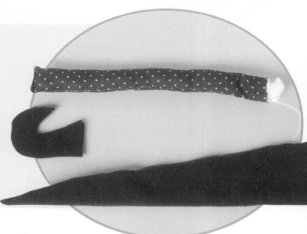

5 Coser la cara y la nariz del revés. Para rellenarlas, darlas vuelta y colocar guata. Pintar los ojos con acrílico: dibujar un óvalo negro y un punto blanco que simulará la pupila. Con la microfibra negra realizar las cejas.

6 El torso se prepara tomando la maceta (tiesto) como base. A éste se le pega el rectángulo de fieltro (paño lenci) con la pistola encoladora o directamente con adhesivo vinílico, envolviendo su contorno por completo.

7 Cortar un cuadrado en fieltro (paño lenci) rojo. Con la ayuda de alguna herramienta cortante, puede ser una navaja (trincheta), calarle con cuidado el centro para hacer la tradicional hebilla del cinturón de Papá Noel. En los extremos del listón navideño (cinta bebé navideña) se colocan los cascabeles, sujetándolos firmemente con un nudo.

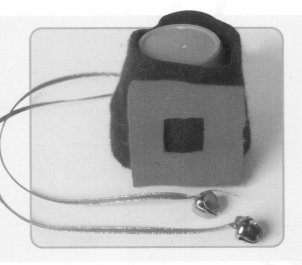

8 Pegar los brazos a la maceta (tiesto) con la pistola encoladora. Aparte, completar los detalles de la cabeza: cabello, barba, nariz, y el gorro con el moño (lazo) y el parche.

UN PAPÁ NOEL DIFERENTE

9 Pasar alambre forrado blanco para dar movimiento a las piernas. Pegar las pequeñas botas a las piernas con la pistola encoladora. Luego pegar las piernas a los costados de la maceta (tiesto). Los listones navideños (cintas navideñas) con los cascabeles se pegan en la base de la maceta (tiesto).

CANASTA DE PIÑAS Y CALAS

Las canastas de mimbre son una invitación para las manos inquietas. Esta interesante combinación propone una grata tarea en la confección de un arreglo que puede decorar con elegancia y sencillez una sala de estar.

Country

Materiales

- Canasta de mimbre.
- Nailon.
- Piñas grandes barnizadas.
- Alambre.
- Oasis (esponja de floristería).
- Pinza o alicate.
- Tijera.
- Cuchillo.
- Plasticina (plastilina).
- Musgo.
- Hojas de formio.
- Calas.

1 Tomar la lámina de nailon y cortarla a la medida de la canasta seleccionada para este arreglo. Forrar la canasta con nailon para protegerla de la humedad de los materiales. De esta manera se evita que el mimbre se arruine con la proliferación de moho.

Plasticina

La **plasticina** (plastilina) es un material sintético blando y modelable, apto para realizar manualidades. En inglés se conoce como *playdough*.

2 Sobre uno de los lados del asa de la canasta armar un conjunto de piñas, las que, previamente barnizadas, se fijan al fondo con un trozo de plasticina (plastilina) en su vértice superior o inferior, de acuerdo con el lugar que ocupe y teniendo especial cuidado de que quede oculta la plasticina.

CANASTA DE PIÑAS Y CALAS

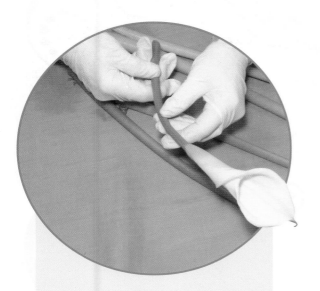

4 Colocar con cuidado sobre el lado opuesto de las piñas dos trozos de oasis (esponja de floristería) previamente mojados en agua. Cubrir el musgo.

3 Los tallos de las calas son huecos y contienen mucha agua. Por eso estos tallos son aptos para darles formas curvas y permiten colocar las flores en distintas direcciones.

Nota

- Las calas se conocen también como lirios de agua, alcatraz, chiragua y piragua.
- Otras denominaciones del formio son fornio, lino de Nueva Zelanda y cáñamo de Nueva Zelanda.

5 Comenzar a colocar las calas en el oasis (esponja de floristería), de manera tal que los tallos entren en contacto con la humedad del oasis. Esto es necesario para que las flores perduren más tiempo.

CANASTA DE PIÑAS Y CALAS

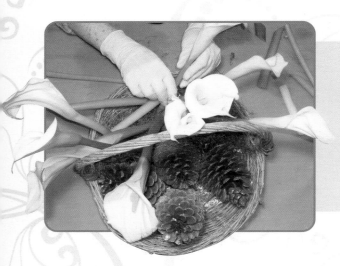

6 Continuar agregando más calas hasta lograr un conjunto asimétrico con volumen. Manipular las flores y los tallos con delicadeza, para evitar que se ajen.

7 En el centro de ese conjunto de calas y piñas, agregar algunas margaritas a diferentes alturas. Estas últimas también deben estar en contacto con la humedad del oasis (esponja de floristería) para que mantengan su frescura.

8 Tomar las hojas de formio. Sujetarlas a los extremos del alambre. Con la ayuda de una pinza (alicate), realizar 2 aros con ese alambre. De esta manera los aros constituyen el soporte de las hojas. Colocarlas en el arreglo como terminación del conjunto. La combinación de distintas especies de flores favorece este tipo de arreglos.

CANDELABRO DE ALCACHOFAS

Las deliciosas alcachofas pueden sorprender en su aplicación como material decorativo y dar un toque de distinción a la mesa.

Country

Materiales

- 3 alcachofas o alcauciles.
- 3 velas blancas.
- Tabla de madera rectangular (30 x 20 cm).
- Oasis (esponja de floristería).
- Ramas de pino.
- Tijera.
- Cuchillo.
- Listón rojo (cinta) o con motivos navideños.
- Cola vinílica.

1 Con la ayuda de un cuchillo, cortar con mucho cuidado los tallos de las alcachofas, tratando de que el corte sea lo más plano posible, ya que será su lugar de apoyo.
Para realizar esta operación es conveniente sujetar el extremo del tallo donde se agrupan las hojas.

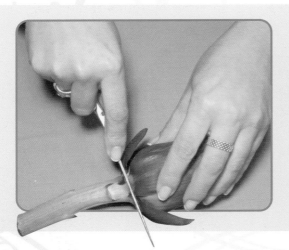

2 Ir abriendo las hojas de la alcachofa con mucha delicadeza. Retirar las hojas del centro hasta que quede un espacio suficiente para colocar la vela. Repetir esta operación con las dos alcachofas restantes.

CANDELABRO DE ALCACHOFAS

3 Abrir con cuidado cada alcachofa. Introducir una vela en el centro de cada una. Las velas deben tener una base bien firme para que se mantengan en posición vertical.

4 Recortar el oasis (esponja de floristería) en forma transversal y dividirlo en tres trozos iguales. Pegarlos con cola vinílica sobre la madera, dos al frente de cada lado de la tabla y el otro atrás, en el centro. Colocar las tres alcachofas, ya con las velas adheridas al centro de cada una.

5 Cortar las ramas de pino con la tijera. Comenzar a colocarlas sobre uno de los oasis (esponja de floristería).

CANDELABRO DE ALCACHOFAS

6 Continuar colocando más follaje alrededor de las alcachofas hasta cubrir por completo el oasis (esponja de floristería) en forma pareja.
La combinación de los distintos matices del verde de las hojas con las velas blancas es muy elegante en la decoración.

7 Tomar el listón o cinta roja o con motivos navideños y realizar un lazo.
Por último, colocar el lazo para darle un toque de color al conjunto.

Nota

• Se puede usar cualquier clase de conífera. En este caso se hizo con cedro enano del Líbano.

• Se puede elegir unas velas más cortas de manera que queden dentro de la alcachofa. Su apariencia es muy bonita, pero para esto se debe tener cuidado que la llama no roce las hojas.

• No se necesita tener flores importantes para hacer un centro de mesa. Con pocos y sencillos materiales se puede crear un vistoso conjunto.

CORONA FORRADA

Animarse a dejar los tradicionales colores rojo y verde para la Navidad puede ser una interesante experiencia.

Country

Materiales

- Aro de madera de 25 cm de diámetro.
- Corte de tela de yute o de henequén (arpillera) de 80 cm x 20 cm.
- Cuerda de cardo.
- Aerosol dorado.
- Tijera.
- Cemento de contacto.
- Hojas de periódico.
- Pinza o alicate.
- Alambre.
- Follaje a elección.
- Piñas pequeñas.
- Semillas de anacahuita.

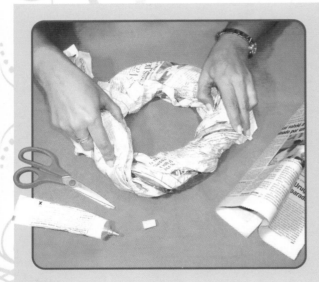

1 Tomar hojas de periódico, plegarlas y pegarlas sobre la superficie del aro de madera con cemento de contacto para darle volumen. Cuanto más pliegues y más cantidad de hojas se adhieran al aro, mayor será la densidad del mismo.
De esta manera se obtiene la base para la corona del arreglo.

2 Pasar la tela de yute o henequén (arpillera) de un lado a otro del aro formando pliegues, hasta cubrirlo totalmente, como se puede observar en la fotografía. Pegar con cemento de contacto y dejar secar bien.

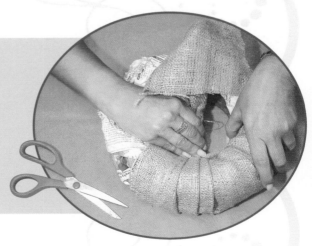

3 Atar con cuerda de cardo la parte superior y la inferior de la corona, y sujetarla con alambre fino, utilizando una pinza (alicate). Esto es necesario para fijar la tela a la corona.

Nota

- La anacahuita se denomina también molle, aguaribay, pimentero, macahuite, anacuáhuitl y trompillo.
- El uso más común de la tela de yute es la fabricación de sacos para el transporte de productos agrícolas, como arroz, café y cacao.

4 Colocar una pequeña cantidad de follaje. Pegar con cemento de contacto, desde la cuerda hacia abajo, acompañando la forma del aro.

5 Repetir la misma operación realizada en el paso anterior pero hacia el otro lado de la cuerda. A continuación, comenzar en la parte inferior, esta vez con tallos pequeños más cortos para permitir que se vea la tela de yute o henequén (arpillera) que cubre el aro de la corona.

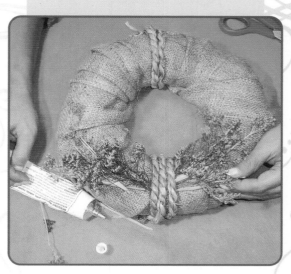

CORONA FORRADA

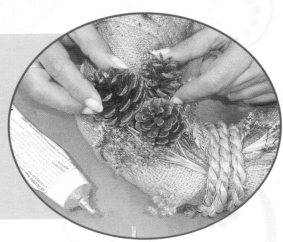

6 Pegar con cemento de contacto las piñas y las diferentes semillas, teniendo especial cuidado de no mancharlas con el pegamento. La cantidad de piñas y semillas a pegar, al igual que el tamaño, dependerá del gusto personal.

7 Una vez que se hayan pegado todos los elementos, colocar debajo de la corona una hoja de periódico y proceder a pintar con aerosol dorado el adorno decorado con todas las semillas y piñas seleccionadas, tal como se ve en la fotografía.

Nota

• Si se realiza esta corona, sugerimos preparar los centros de mesa y adornos del árbol de Navidad también en dorado.

• El aro de madera se puede sustituir por un aro de cartón grueso hecho por nosotras mismas.

COLGANTE NAVIDEÑO

Ideal para realzar una pared o el marco de una ventana. Esta clásica combinación de los colores de la Navidad se refrescan con el estilo campestre.

Country

Materiales

- Tijera.
- Cemento de contacto.
- Pinza o alicate.
- Alambre fino.
- Paico verde.
- Achilea roja.
- Statice blanco.
- Semilla de eucaliptos rojo.
- Listón navideño (cinta navideña).
- Hilo.
- Piñas.
- Tallos varios.

1 Tomar varios tallos. Cortarlos todos a la misma medida, y, utilizando una pinza o alicate, unirlos con alambre de ambos extremos, tal como muestra la fotografía.

2 Colocar los primeros elementos (paico y achilea) en uno de los extremos, pegándolos con cemento de contacto en forma asimétrica sobre los tallos atados en el paso anterior. Es importante tratar de cubrir por completo el alambre utilizado para atar los tallos, lo que dará una mejor terminación a la artesanía.

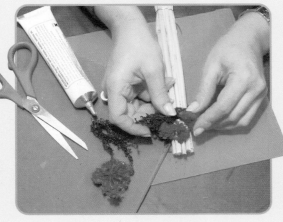

COLGANTE NAVIDEÑO

Nota

• El arreglo debe realizarse dejando un espacio libre en la parte superior e inferior de los tallos.

• Las semillas deben estar bien limpias, si las preferimos doradas las pintamos con aerosol dorado antes de comenzar el trabajo.

3 Continuar con las piñas y los statices, siempre pegando con cemento de contacto en forma prolija y tratando de dejar toda la superficie cubierta.

4 Realizar varios lazos con la cinta de tela e ir intercalándolos con el resto de los materiales. Colocar semillas de eucaliptos. Adherirlas al conjunto con cemento de contacto.

Nota

• Otros nombres del paico son hierba de los jesuitas y hierba hedionda.

• La achilea también es conocida como milenrama, milhojas, milefolio, milrosas, aquilea, camomilla de los montes, hierba meona.

• La statice en algunas regiones se llama *estátice* y *limoneum*.

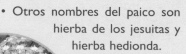

39

COLGANTE NAVIDEÑO

5 Repetir la colocación de los diferentes elementos, hasta cubrir por completo la superficie de los tallos agrupados. En caso de utilizar otros colores, tanto en las semillas como en el listón (cinta), se obtiene un arreglo muy vistoso para decorar cualquier lugar de nuestro hogar en todas las épocas del año.

TABLA CON GRAMÍNEAS

Este trabajo requiere de diversos materiales con tonalidades variadas para que el adorno luzca en todo su esplendor.

Country

Materiales

- Tabla de madera.
- Alambre de tejido hexagonal.
- Oasis (esponja de floristería).
- Cuchillo.
- Pinza o alicate.
- Alambre fino.
- Cemento de contacto.
- Variedad de gramíneas.
- Vasijas pequeñas.

1 Cortar el oasis (esponja de floristería) en dos partes y pegarlas sobre la tabla con cemento de contacto, dejando la unión en el centro.

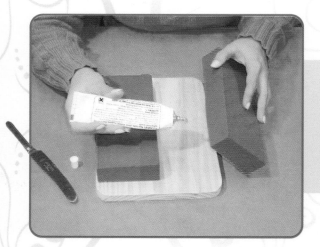

2 Con ayuda de una pinza, cortar el alambre tejido hexagonal, colocarlo por encima del oasis (esponja de floristería) y ajustarlo con el alambre a la tabla de madera. Debe quedar bien firme, pues es la base para el arreglo.

3 Disponer la tabla de madera en forma vertical. Medir y colocar un manojo de flores secas en la parte superior central. Éste debe quedar sujeto con alambre entre el oasis (esponja de floristería) y la tabla.

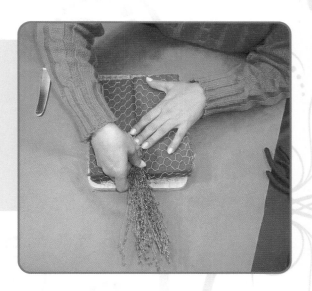

4 Atar con el alambre dos manojos de un mismo material, preferentemente de ramas finas y largas. Es conveniente que los atados sean parejos, ya que la simetría es un factor importante en este arreglo.

5 Colocar con cuidado los dos manojos a ambos lados del eje central. Adherirlos al oasis (esponja de floristería) con alambre, ayudándose con una pinza (alicate). La utilización de un cuchillo suele ser muy útil para marcar los lugares donde se colocarán los atados.
Éstos deben quedar a los lados del manojo colocado anteriormente, entre el oasis (esponja de floristería) y la tabla de madera.

6 A continuación, colocar otro ramo de diferentes flores en la unión de los oasis (esponja de floristería). Comenzar la colocación por encima del alambre hexagonal.

La esponja de floristería (u oasis)

Este material se puede adquirir en comercios del ramo, y en general es muy económico. Se utiliza principalmente para realizar centros de mesa. Se coloca en el centro del plato una esponja bien mojada para las flores frescas. Este material tiene un Ph neutro, por lo que no cauteriza la flor y hace posible conservarlas, como el primer día, por mucho más tiempo. Es importante mantener húmeda la esponja, para que las flores y el follaje se mantengan frescos.

7 Disponer otros dos manojos hacia cada uno de los lados. Continuar hasta cubrir por completo el oasis.

8 Ubicar el último ramo en el centro y abajo, es decir, en el lado opuesto al que se comenzó a cubrir el oasis (esponja de floristería). Se ata con alambre teniendo especial cuidado de que quede oculto.

TABLA CON GRAMÍNEAS

9 Por último, atar distintas vasijas. Pegarlas a diferentes alturas y darles efecto de caída.

Nota

• No se debe olvidar colocar un gancho para colgar.

• Los ramos tienen que estar colocados en forma simétrica respecto del eje central.

CORONA DE HOJAS

Este delicado arreglo hace posible acercar la naturaleza a nuestro hogar a través de las vistosas hojas de magnolia.

CORONA DE HOJAS

Materiales

- Corona de poda de vid.
- Hojas de magnolias rojas.
- Cemento de contacto.
- Hilo.
- Tijera.
- Alambre.
- Listón dorado (cinta dorada).

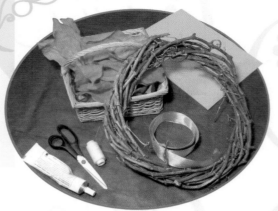

1 En forma prolija, adherir con el cemento de contacto las hojas de magnolia, todas en un mismo sentido.

2 Intercalarlas hasta completar en forma pareja toda la circunferencia de la corona de poda de vid. La cantidad de hojas a adherir dependerá del gusto personal.

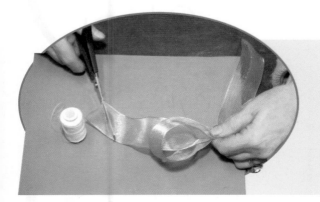

3 Hacer un lazo (moño) bien importante con el listón dorado (cinta). Atarlo con alambre para colocarlo en la corona de poda de vid ya decorada con la hojas de magnolia.

CORONA DE HOJAS

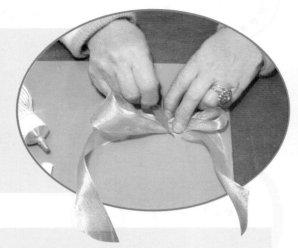

4 Colocar en el centro del lazo (moño) una hoja pequeña de magnolia roja. Pegarla con cemento de contacto y dejar secar bien para evitar que se desprenda del lazo. También puede utilizarse un listón fino.

5 Adherir con cemento de contacto el lazo a la corona, teniendo en cuenta que éste indicará la parte superior de la artesanía. El ancho, diseño y color de listón (cinta) navideño puede variar de acuerdo con el gusto personal.

Nota

• Con un único elemento se logra una importante corona, ya que solamente se utilizan hojas.

• Se la puede ubicar en la puerta principal o en un lugar bien visible de la casa.

ANTIGUO AGUAMANIL

Para colgar en columnas o en un patio interior, un antiguo aguamanil o jofaina llena de vistosas flores.

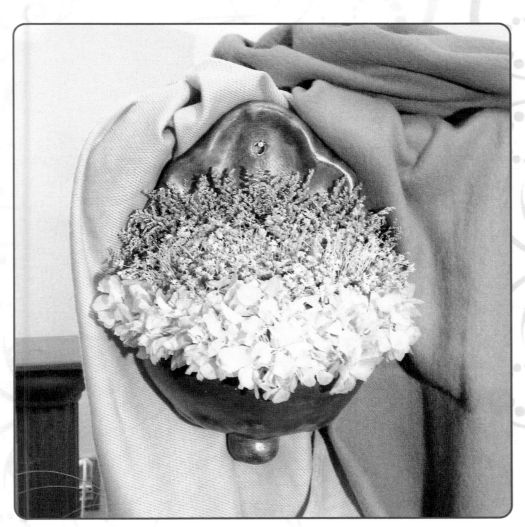

Country

Materiales

- Pieza de yeso.
- Papel de lija.
- Pintura acrílica blanca.
- Goma laca.
- Pincel.
- Betún de Judea.
- Paño.
- Cemento de contacto.
- Oasis (esponja de floristería).
- Hortensias.
- Gramíneas a elección.

Goma laca

La **goma laca** es una sustancia secretada por el insecto llamado cochinilla de la laca. Es utilizada para fabricar un barniz, que se usa en ebanistería y se aplica frotando la madera con un paño o hilos de algodón impregnado de barniz.

1 Pulir con el papel de lija la pieza de yeso para quitarle todas las imperfecciones que presente. Retirar el polvillo resultante de esta operación con un paño seco. Luego, pintarla con acrílico blanco para impermeabilizar toda la superficie de la pieza y dejar secar bien.

2 Sobre la pieza de yeso ya pintada con acrílico blanco y bien seca, pasar dos manos de goma laca con el pincel. Dejar secar por varias horas.

3 Con un paño mojado en betún de Judea, pintar toda la pieza. Si se desea clara poner poca cantidad, si gusta más oscura se agrega más betún.

4 Moldear el oasis (esponja de floristería) con un cuchillo, dándole la medida de la abertura del recipiente a su parte inferior, y una altura hasta alrededor de la mitad de la pieza, a la parte superior. Para esto es necesario hacer varios cortes en los bordes, de forma tal que calce lo más prolijamente posible.

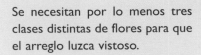

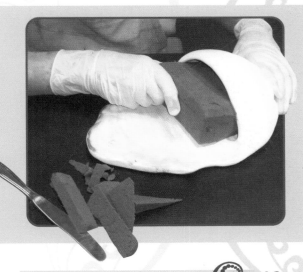

Nota

Se necesitan por lo menos tres clases distintas de flores para que el arreglo luzca vistoso.

5 Colocar en forma vertical las flores que se eligieron para hacer el arreglo, de atrás hacia delante, por secciones. Fijar el oasis (esponja de floristería) con cemento de contacto.

ANTIGUO AGUAMANIL

6 Terminar el trabajo colocando hortensias, haciendo una especie de corona sobre el borde del aguamanil (palangana o pilita), tal como se ve en la fotografía.

MUÑEQUERÍA

Las muñecas representan
un icono de la infancia:
la inocencia y la ternura
se recrean en ellas.
Para decorar, para
utilizar como souvenir,
o para regalar,
aquí ofrecemos
una gama de muñecas
muy fáciles de realizar
para quienes se inician
en el mundo
de la muñequería.

Se pueden confeccionar
con diferentes materiales:
telas, lanas, papel
maché, cartón.
Esto permite reutilizar
materiales descartados
en el hogar, reciclándolos
y desarrollar con ellos
nuestra creatividad.

AMIGAS PARA SIEMPRE

Estas pequeñas muñecas pueden convertirse en el recuerdo perdurable de un día muy especial.

Materiales

- Cartón blanco o cualquier superficie que sirva de base para el cuerpo.
- Tela (para realizar el vestido).
- Listón fino (cinta bebé).
- Lana para el cabello.
- Aguja.
- Hilo.
- Cola vinílica.
- Tijera.
- Marcador.

Sugerencia

También se pueden comprar siluetas de madera que simplifican aún más la labor.

1 Con un marcador o lápiz y papel carbónico, copiar o calcar con prolijidad el molde. Recortar y colocar sobre el cartón o el material que se haya elegido como base para la pequeña muñeca. Dibujar con trazo firme y prolijo el contorno del molde.

Ver molde en pág. 254

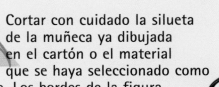

2 Cortar con cuidado la silueta de la muñeca ya dibujada en el cartón o el material que se haya seleccionado como base. Los bordes de la figura deben quedar lisos y prolijos.

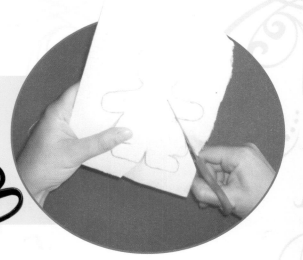

Muñequería

3 El procedimiento para realizar la cabellera consiste en tomar un extremo la lana y medir las hebras de 10 cm aproximadamente, varias veces, hasta obtener la cantidad de cabello necesaria. Cortar las hebras para realizar el cabello de la muñeca. Una vez finalizada esta operación cortar una pequeña tira de lana y atar en el medio. Cortar las puntas para emparejar.

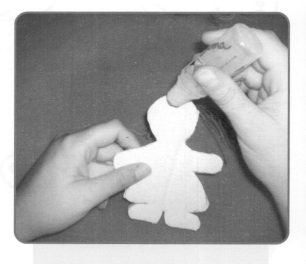

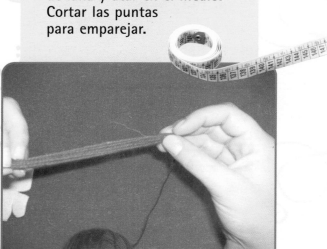

4 Con mucho cuidado, sujetando la muñeca por uno de los brazos, colocar cola vinílica en el borde la cabeza. Luego pegar el cabello, tratando de que quede centrado. Es importante que no quede pegamento en el rostro, ya que en el próximo paso hay que dibujarla con marcador.

Nota

En muñequería se utiliza con frecuencia el fieltro, que en algunas regiones se denomina paño lenci. Es un tipo de paño no tejido que se fabrica conglomerando borra, lana o pelo. Otro uso tradicional del fieltro es para la confección de sombreros, los tacos para cartuchos de caza, los borradores para greda (tiza) en pizarrones y algunos fratachos para albañilería.

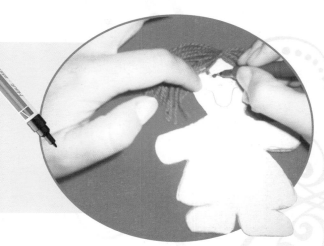

5 Con un marcador de color negro dibujar los rasgos del rostro: los ojos, las cejas, la boca y la nariz. Si se desea hacer más vistosa la muñeca se puede dibujar el rostro con distintos colores.

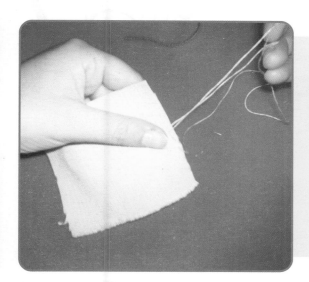

6 Con la tijera, cortar dos cuadrados de tela de la misma medida. Deben cubrir desde el cuello hasta los pies de la muñeca, y ambos lados del cuerpo. Con aguja e hilo del mismo tono que la tela utilizada, coser los costados del lado interior de la tela hasta la sisa (antes de cada brazo de la muñeca). Una vez finalizado este paso, dar vuelta el vestido.

7 En la parte del cuello coser con hilo y aguja en la parte superior unas puntadas bastante separadas entre sí. Al finalizar esta acción, jalar del extremo del hilo para lograr el fruncido del vestido de la muñeca. Esta operación se debe realizar de los dos lados de la silueta. Finalizado este paso deberá quedar el cuello adherido a la figura, simulando un volado.

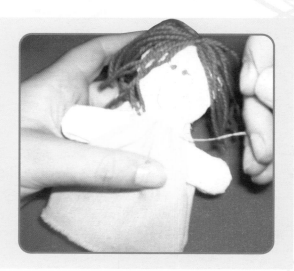

Muñequería

8 Con delicadeza, acomodar sobre el cuerpo de la muñeca el pequeño vestido que se ha confeccionado. Luego, con hilo y aguja, coser en forma prolija los hombros del vestido. Con la tijera, cortar una tira del listón fino (cinta bebé). Colocar éste en el talle (cintura) de la muñeca. Atar con un lazo o moño.

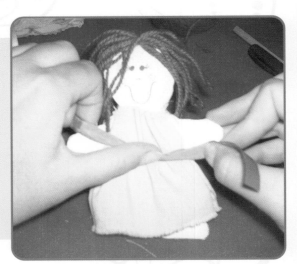

9 Con el mismo listón fino que se realizó un lazo en el talle de la muñeca, realizar aparte otro lazo para colocar en el cabello. Éste se puede sujetar con un par de puntadas pequeñas, para evitar que se deshaga. Es conveniente que el color del listón combine con el tono de la tela del vestido.

10 Con cuidado, colocar cola vinílica en el centro de la cabeza. Pegar el lazo pequeño que se reservó para el cabello. Esto tiene tanto un objetivo práctico como decorativo, ya que sirve para disimular el nudo que se realizó en el paso 3.

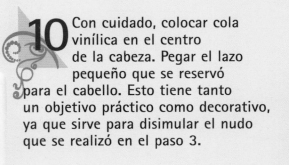

11 Así, la muñeca está finalizada. Si se desea hacer un souvenir, perforar la mano y con el mismo listón (cinta) y un papel decorativo cortado a un tamaño adecuado, colocar el nombre y la fecha, por ejemplo: "Carolina, recuerdo de mi cumpleaños, 25/06/08".

Nota

La palabra *souvenir* es francesa y en español significa recuerdo. En los países de habla hispana esta palabra se castellaniz ó como suvenir.

EL HADA MARGARITA

Con su dulce encanto, esta muñeca salida de un cuento puede decorar un escritorio o la habitación de la niña de la casa. Dejemos que su magia entre en nuestro hogar.

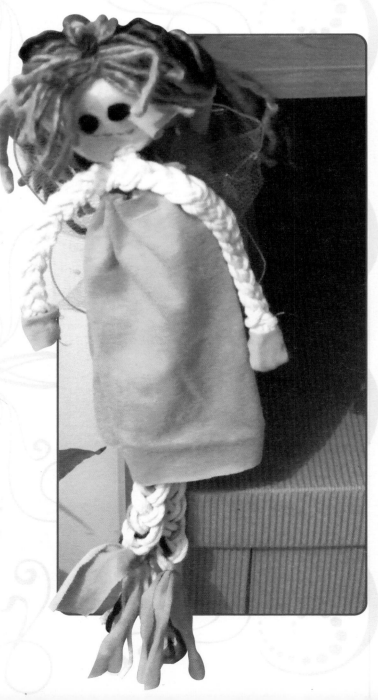

EL HADA MARGARITA

Materiales

- Lana rosa o combinada.
- Tela de algodón rosa / beige.
- Hilo de algodón blanco grueso (de 8 hebras).
- Alambre fino.
- Algodón.
- Tul rosa.
- Paño negro.
- Aguja.
- Hilo.
- Tijeras.
- Cinta métrica (centímetro).

Ver molde en pág. 254

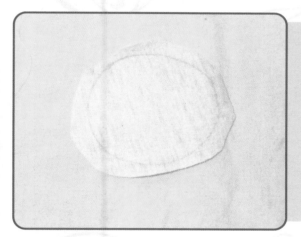

1 Recortar el molde prolijamente con ayuda de la tijera, o calcarlo en una hoja de papel. Colocar el círculo resultante sobre la tela de algodón beige para realizar la cabeza de la muñeca. Marcar el contorno del círculo sobre la tela con greda (tiza) y luego cortar el círculo de tela con la tijera.

2 Tomar hilo y aguja y coser todo el círculo en forma envolvente para crear una forma redondeada. Las puntadas deben ser espaciadas entre sí para poder realizar el fruncido de la tela. Para efectuar esta operación se debe jalar las dos puntas del hilo de la costura. Dejar una pequeña abertura.

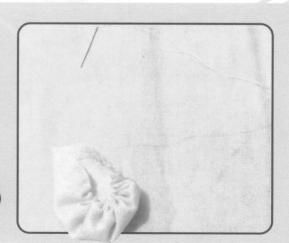

Muñequería

3 La parte de la cabeza de la muñeca que quedó con una pequeña abertura será la nuca. Por esta abertura se introducen vellones de algodón para darle volumen al rostro.
Una vez efectuada esta operación, cerrar la abertura cosiéndola con prolijidad. Ya está terminada la cabeza de la muñeca.

4 Dibujar con greda (tiza) dos pequeños círculos sobre el paño negro para hacer los ojos de la muñeca. Con la tijera, cortarlos con prolijidad. Luego ubicar ambos círculos de paño negro en la parte superior del rostro, a la misma altura. Coserlos con algunas puntadas en el centro de los círculos. Para la boca, coser algunas puntadas largas con hilo rojo en forma de arco, para dibujar una sonrisa.

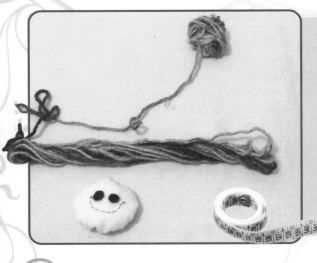

5 El cabello de la muñeca se realiza con hebras de lana de color rosado o de otros tonos, en dos pasos. Mezclar distintos colores que contrasten entre sí puede darle un toque de originalidad a este modelo. Realizar tiras de 15 cm.
El grosor de cada tira dependerá de las preferencias de quien realice la muñeca.

6 Anudar al medio la cabellera realizada en el paso anterior. Coserla sobre la cabeza, hacia atrás. Luego medir con la cinta métrica algunas tiras de 5 cm de largo. Atarlas al medio. Coserlas delante de los cabellos más largos. Cortar dos pequeñas tiras finas del color de la tela del vestido para sujetar el cabello.

7 Dibujar con greda (tiza) un cuadrado de tela de color rosa. Con ayuda de una tijera, recortar este cuadrado. Con esta pieza se realizará el vestido del hada Margarita.

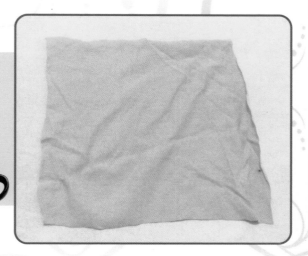

8 Con hilo y aguja unir los lados del cuadrado de tela color rosa en sentido vertical. Elegir uno de los extremos que quedaron sin coser para que sea la parte superior del vestido de la muñeca. Coser ese extremo con puntas separadas entre sí. Una vez finalizada la costura, jalar de los extremos del hilo para lograr el fruncido.

Muñequería

9 Medir doce tiras de 50 cm de algodón blanco y seis tiras de hebras de la misma lana utilizada para el cabello. Cortarlas con la tijera. Atarlas al medio. Separarlas de la siguiente manera: dos tiras de algodón blanco y una de lana.

10 Comenzar a hacer dos trenzas, cruzando las distintas tiras. Así quedará intercalado el color blanco de las tiras de algodón con los colores de las hebras de lana. Al terminar las trenzas, sujetar los extremos con una hebra de lana anudada bien firme.

Trenzado

Para realizar una trenza, se sostienen las hebras de la izquierda y del medio con una mano y con la otra, la hebra de la derecha. Se pasa la hebra de la derecha sobre la del medio y la de la izquierda sobre la derecha, que ahora quedó en el medio. Se va repitiendo la operación hasta llegar al extremo final de las hebras.

11 El siguiente paso consiste en cortar con la tijera dos tiras de la misma tela del vestido. Atarlas al extremo inferior de las trenzas, para señalar los pies de la muñeca.

12 Para hacer los brazos, cortar tres tiras de 22 cm cada una. Trenzarlas de la misma forma que se realizan las piernas. En los extremos hacer las manos con un pequeño trozo de tela rosa enfundando el extremo de cada lado.

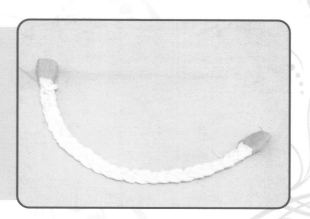

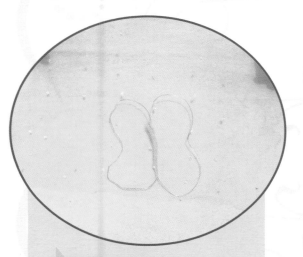

13 Luego, con el alambre, modelar la silueta de las alas. Forrarlas con tul color rosa, como se ve en la fotografía.

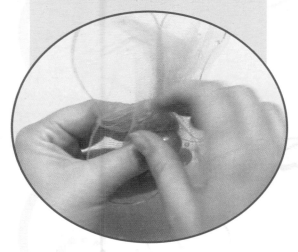

14 Armar la muñeca colocando la trenza dentro del vestido. En la parte superior, coser los brazos y en la parte posterior coser las alitas. Adherir la cabeza a los brazos con pequeñas puntadas. Ya está la muñeca terminada.

BRUJITAS

Estas simpáticas muñecas, muy sencillas para realizar, pueden utilizarse como originales souvenirs para cumpleaños especiales, de amigas o hermanas.

Materiales

- Papel de molde u hojas de periódico.
- Fieltro (paño lenci) de diferentes colores (beige, negro, rojo, amarillo).
- Hilo.
- Aguja.

- Algodón.
- Palillo o tronco pequeño.
- Lanas.
- Cinta métrica.
- Tijera.
- Lapicera.

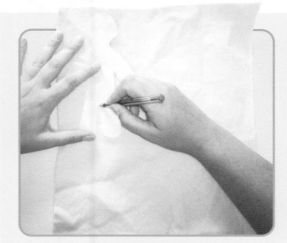

1 Copiar el molde en un papel. Esto puede hacerse con papel de calcar o carbónico y marcador, según resulte más práctico. Cortarlo con la tijera. Luego colocarlo sobre el fieltro (paño lenci). Con greda (tiza), dibujar el contorno de la silueta sobre la tela. Se deben realizar dos cuerpos por cada muñeca.

Ver molde en pág. 255

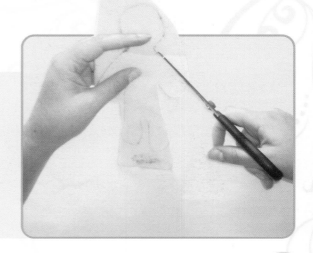

2 Una vez dibujada la silueta dos veces sobre el paño, o una vez sobre el paño doble, tomar la tijera y con ella recortar por los bordes con prolijidad, siguiendo el contorno del molde, como muestra la fotografía.

Muñequería

3 Colocar una sobre otra las dos siluetas recortadas de la muñeca. Con aguja e hilo comenzar la costura, del lado del revés de la tela. Se recomienda comenzar a rellenar la muñeca a medida que se cose para que el cuerpo quede parejo, como se verá en el siguiente paso.

4 Coser una pierna. Volverla del lado del derecho y proceder a rellenarla con algodón. El algodón se puede introducir con ayuda de una lapicera. Realizar la misma operación con la otra pierna, los brazos, la cabeza y por último, el torso. La puntada de cierre se da sobre el derecho de la tela, tratando de que se vea lo menos posible.

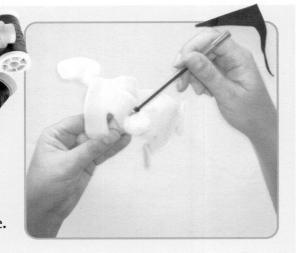

5 Para hacer el cabello, tomar varias hebras de lana del color que se prefiera. Con la cinta métrica medir y cortar tiras de 20 cm de largo. Anudar con otra hebra de lana del mismo color por la mitad de las tiras (10 cm).

6 Una vez preparada la cabellera de la muñeca, cortar las puntas de las hebras de lana. Colocar el cabello en el centro de la cabeza de la brujita. Se fija a la cabeza con puntadas realizadas con un hilo de color similar al del cabello.

7 Luego, para preparar el sombrero de la brujita, cortar un triángulo de fieltro (paño lenci) color negro. Juntar los bordes y cortar la punta que sobre fuera del extremo del sombrero. Coser el borde. Dar vuelta la base del sombrero y si se desea, hacerle una puntada para que no se desdoble y colocarlo sobre la cabeza.

8 Luego, unir el cabello a los bordes del sombrero de la brujita. Colocarlo sobre su cabeza realizando un pequeño doblez que semeje una solapa y sujetarlo con algunas puntadas realizadas en hilo negro.

BRUJITAS

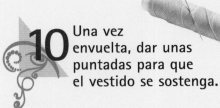

9 Para confeccionar el vestido, cortar una tira de fieltro o paño lenci negro de 52 centímetros. Envolver la muñeca con esta tira, como muestra la fotografía.

10 Una vez envuelta, dar unas puntadas para que el vestido se sostenga.

Nota

Como se observa en la fotografía, se pueden crear distintos modelos de brujitas, variando los colores y la forma de la cabellera, la nariz, los ojos.

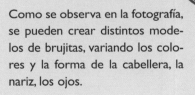

11 Para hacer la escoba, cortar un palillo de 10 cm de largo. Hacer una pequeña madeja con lana de color amarillo de aproximadamente quince o veinte hebras y de 10 cm de largo. Atar al medio la madeja con una lana del mismo color. Poner el medio de la madeja sobre el palillo y atarlo. Cortar los bordes para que queden las hebras sueltas.

BAILA BAILARINA

Una creativa versión de la "muñeca de patas largas" para alegrar cualquier ambiente del hogar o agasajar a una amiga.

Muñequería

Materiales

- Telas de dos estampados.
- Tela lisa blanco o beige.
- Tul.
- Lanas para el cabello de color.
- Vellón o algodón.
- Hilo de los mismos colores de las telas y el tul.
- Aguja.
- Tijera.
- Greda o tiza.

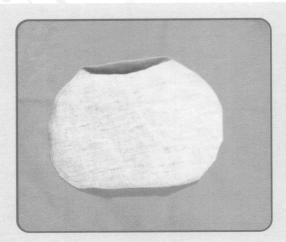

1 Con ayuda de la tijera, cortar prolijamente el molde circular, o calcarlo en una hoja de papel. Colocar el círculo resultante sobre la tela de algodón beige, para realizar la cabeza de la muñeca. Marcar con greda (tiza) el contorno del círculo sobre la tela y luego cortar el círculo de tela con la tijera. El tamaño de la cabeza depende del tamaño del círculo que se corte.

Ver molde en pág. 256

2 Realizar una costura salteada en todo el borde del círculo, con un nudo bien fuerte en el comienzo. Al terminar, jalar de la punta para lograr el fruncido que será el cierre del círculo.

3 Una vez fruncido el círculo, rellenar la cabeza con algodón o vellón. Cerrar la pieza cosiendo el borde para que el relleno no se salga.

Nota

El hilo utilizado para bordar los ojos puede ser del grosor que se desee. En este caso es hilo de costura, pero se puede hacer con hilo de seda, o incluso con una hebra de lana, hilo de bordar, u otros.

4 Para hacer los ojos, enhebrar hilo negro. Comenzar en lo que será el centro del ojo y realizar cuatro costuras hacia los costados formando una "X" para cada uno de ellos. Así se dibujan los pequeños ojos de la muñeca.

5 Para hacer la boca, coser puntadas con una lana fina de color rojo. Debe tener forma de arco con la curvatura hacia abajo para dibujar la sonrisa, como muestra la fotografía.

6 El cabello se hace con lanas de colores. Realizar una madeja pequeña y unirla en el centro. Cortar las puntas para que se forme la cabellera. Cubrir con ella toda la cabeza, en especial la parte posterior, donde está la costura. Finalizado este paso, hacer unas puntadas en el centro de la cabeza, para sostenerla.

7 Cortar todas las partes que conformarán el cuerpo de la muñeca. Las piernas deben tener el mismo ancho que los brazos. Lo que varía, es el largo. Con greda (tiza) dibujar el molde del cuerpo sobre la tela y recortarlo. Cortar para los brazos dos tiras de tela del mismo largo y ancho. Considerar que todas las piezas se cortan dos veces.

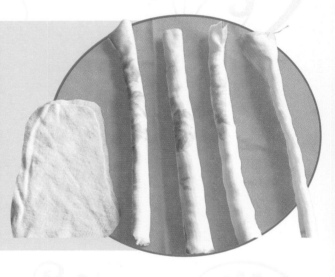

8 Coser primero las piernas del lado del revés; del lado de adentro se cosen los bordes y la parte inferior. Luego dar vuelta la tela para que quede la costura del lado interior. Esto lo hace más prolijo. Luego, rellenar las piernas con algodón o vellón. Realizar el mismo procedimiento con los brazos.

9 Coser las piernas y los brazos en un lado de la tela que se había cortado para hacer el cuerpo. Luego colocar la otra tela para tapar las costuras de las extremidades y coser en el interior para luego poder darlos vuelta. Rellenar.

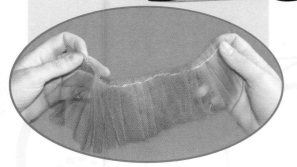

10 Coser la cabeza al cuerpo. Dar las puntadas en la parte posterior de la cabeza, debajo del cabello.

11 Cortar un tira larga de tul, que permita darle al menos dos vueltas al cuerpo de la muñeca. Se debe tener en cuenta que el clásico tutú se realiza con tul plegado. Primero, realizar la falda aparte, hacer pliegues e ir cosiendo.

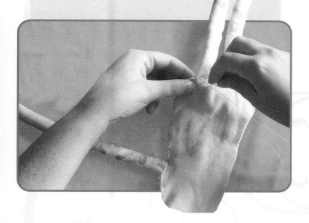

12 Al finalizar la falda, colocarla sobre el cuerpo de la muñeca y coser con hilo al tono.

ANGELINA

Esta linda muñeca de tela
puede brindar alegría a la niña
que todas llevamos dentro.

ANGELINA

Materiales

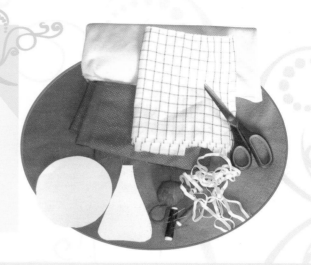

- Tela de dos estampados, rayas o colores diferentes.
- Tela de color blanco o beige.
- Hebras de lana para el cabello.
- Hilo y aguja.
- Algodón o guata.
- Listón elastizado (elástico).
- Tijera.
- Lápiz.

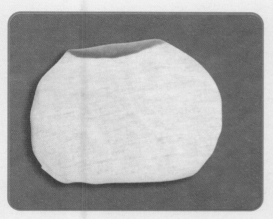

1 Con lápiz o bolígrafo calcar el molde circular en un papel. Recortarlo. Colocarlo sobre la tela elegida. Dibujar el círculo con greda (tiza). Luego cortar el círculo de tela con la tijera. Con este círculo se realizará la cabeza de la muñeca.

Ver molde en pág. 256

2 Realizar una costura salteada en todo el borde del círculo. Hacer un nudo bien fuerte en el comienzo, ya que se deberá jalar de la punta al finalizar la costura, para lograr el fruncido que será el cierre del círculo. Rellenar la cabeza con algodón o vellón para darle volumen; cerrarla cosiendo el borde para que el relleno no se salga.

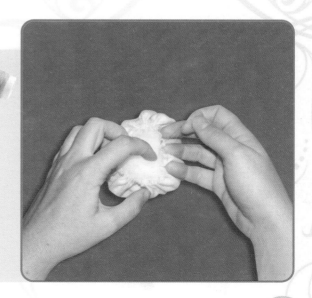

Muñequería

3 Para hacer los ojos, enhebrar hilo negro. Comenzar donde será el centro del ojo y realizar cuatro costuras hacia los costados formando una "X" para cada uno. Así se bordan los pequeños ojos de la muñeca.

Nota

El hilo que se utilice para hacer los ojos puede ser del grosor que se desee. En este caso es hilo de costura, pero se puede hacer con hilo de seda, o incluso con una hebra de lana, hilo de bordar, etc.

4 Para hacer la boca, se pueden utilizar distintos materiales al igual que para los ojos. En este caso, se ha realizado con una lana fina roja. Coser varias puntadas para dibujar la boca.

5 Realizar el cabello con hebras de lanas de distintos colores. Hacer una madeja pequeña de aproximadamente 30 cm de largo. Unirla en el centro con una lana más pequeña. Cortar las puntas para que se formen los cabellos, considerando que debe cubrirse toda la cabeza, en especial la parte posterior donde se hace la costura. Finalizado este paso, dar unas puntadas en el centro de la cabeza, para sujetar la cabellera.

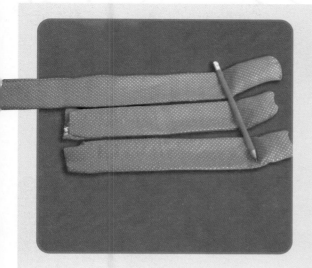

6 Cortar todas las partes que formarán el cuerpo de la muñeca. Las piernas deben tener el mismo ancho que los brazos. Lo que varía es el largo: las piernas deben medir 40 cm y los brazos, 30 cm. Con la tijera, cortar la tela del cuerpo. Para realizar los brazos, hacer dos cortes iguales. Repetir el mismo procedimiento para las piernas. Tener en cuenta que cada una de estas piezas debe cortarse dos veces, ya que luego se coserán y rellenarán.

7 Con ayuda de la tijera, cortar un listón elastizado, que debe ser más corto que las piernas y los brazos. Medirlo con la cinta métrica. En el caso de las piernas, el largo debe ser de 25 cm. Para los brazos, el listón elástico deberá tener 20 cm.

8 Coser primero las piernas. Del lado de adentro, coser los bordes y la parte inferior. Luego darlas vuelta para que la costura quede del lado interno. Esto lo hace más prolijo. Rellenar sólo los extremos, que son los que formarán los pies. Introducir el elástico en la parte interior de la pierna y coser justo donde se termina el relleno de algodón. Fruncir la tela y coser el borde del elástico y con la tela. De esta manera, queda la pierna fruncida, con el elástico en el interior.

ANGELINA

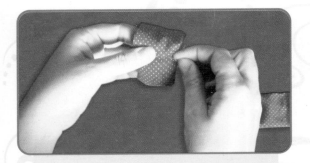

9 Realizar los brazos de la misma forma que los pies. Rellenar las puntas que formarán las manos. Coser el listón elastizado al finalizar el relleno. Dar unas puntadas para fruncir el puño. Coser la tela con el listón elastizado en el borde superior. De esta manera queda también fruncido el brazo.

10 Coser el cuerpo de la muñeca. Coser los brazos y las piernas al cuerpo. La costura debe quedar del lado interno. Rellenar el cuerpo con algodón o guata.

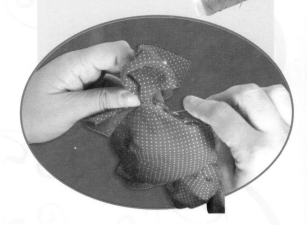

11 Coser la cabeza al cuerpo. Dar puntadas en la parte posterior de la cabeza, debajo del cabello.

12 Cortar dos tiras pequeñas de la tela del otro color elegido y anudarlas en los tobillos como lazos pequeños.

TONIA, MELI Y COLORINDA

Desde el jardín hasta la habitación, estas amiguitas aladas revolotean con alegría.

Muñequería
LA VAQUITA TONIA

Materiales

- Fieltro (paño lenci) de colores rojo, amarillo, naranja y negro.
- Tijera.
- Hilo y aguja.
- Hilo de bordar.
- Alambre fino.

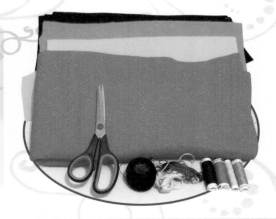

1 Cortar dos óvalos en color rojo con el contorno del molde y un extremo de color negro. Cortar cuatro piezas pequeñas de 2 cm de ancho y 5 cm de largo. Redondear las puntas. Cortar cuatro círculos pequeñosen color negro.

2 Coser el extremo negro sobre un óvalo de paño rojo. Luego coser los círculos de color negro sobre el lomo. Hacer con hilo negro de bordar, en la mitad del cuerpo, dos líneas pespunteadas.

Ver molde en pág. 256

3 Coser con aguja e hilo del mismo color que el paño dos patas de cada lado. Coser la parte de abajo, de color rojo, y rellenar con algodón. Cerrar el cuerpo con algunas puntadas.

TONIA, MELI Y COLORINDA
LA ABEJITA MELI

1 Cortar con el contorno del molde seis círculos en color negro y siete en color amarillo. Para el aguijón cortar un pequeño triángulo y para la cabeza dos círculos un poco más grandes.

Ver molde en pág. 256

2 Apilar los círculos recortados, comenzando por el más pequeño, de color amarillo. Intercalar los colores y tamaños. En lo que será el medio del cuerpo debe quedar el círculo más grande de color amarillo. Terminar con un círculo amarillo pequeño, como se comenzó. Coser con pequeñas puntadas en el centro para unirlos. Deben quedar sueltos los bordes. Esta es la base del cuerpo de la abeja.

3 Tomar las puntas del triángulo de paño lenci negro y unirlas. Coserlas formando un cono. Luego coser el aguijón en uno de los extremos del cuerpo de la abeja.

Muñequería

4 Para hacer las antenas hay que doblar el alambre fino por la mitad. Envolver en los extremos de las antenas un paño amarillo y coserlo bien firme. Cerrar en la parte posterior. Hacer los pequeños ojos en uno de los círculos negros, bordándolos con hilo amarillo.

5 Para hacer la cabeza, unir los dos círculos negros. Comenzar a coserlos con hilo negro. Colocar en la cabeza la parte central de las antenas. Continuar la costura. Rellenar con algodón y cerrar los círculos. Así queda lista la cabeza, con las antenas ya fijadas en el lugar correspondiente.

6 Coser la cabeza sobre el último círculo. Si se desea puede dársele una forma diferente cortando apenas los círculos hacia al rabo, haciendo que la parte de la cabeza quede más ancha. Ya está lista Meli, la abejita.

TONIA, MELI Y COLORINDA
LA MARIPOSA COLORINDA

1 Utilizar el molde más grande como base, y cortar en color rojo las alas, el mediano para el color naranja y el de menor tamaño para el color amarillo. En color negro, cortar una tira de 4 cm de ancho y 15 cm de largo.

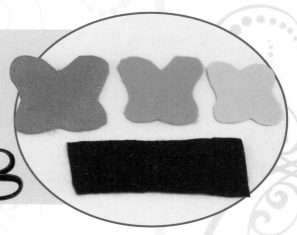

Ver molde en pág. 257

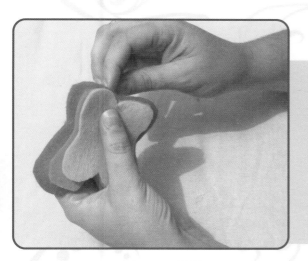

2 Colocar las alas de colores unas sobre otras y de mayor a menor. Coser en el centro con puntadas bien fuertes haciendo que se frunza y aplaste, como muestra la fotografía. Esto hará que los lados de las alas adquieran volumen respecto del centro.

3 Realizar la antena con alambre fino. Doblar al medio y en la punta hacer un chino (rulo). Coser la antena en la parte superior del cuerpo de la mariposa.

TONIA, MELI Y COLORINDA

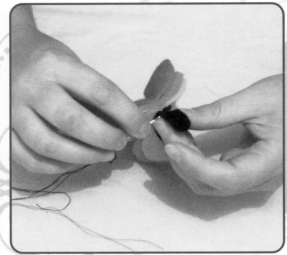

4 Dar forma redondeada al cuerpo hecho con paño lenci negro. Afinar el cuerpo en forma de pico hacia el rabo y colocarlo en el centro de las alas. Para coser, se dobla al medio la mariposa y se dan puntadas de manera que el paño negro quede sujeto al amarillo.

5 Como se observa en la fotografía, queda una parte superior del cuerpo en el aire, sin coser. La costura de las antenas quedará escondida entre el cuerpo y las alas.

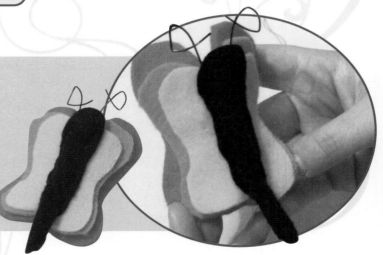

6 Separar las alas para darles movimiento. Si se desea, se puede realizar la misma mariposa en fieltro (paño lenci) de otros colores. Así, se podrá llenar de vida la habitación de los niños. Este modelo es ideal también para colgar y dar color a cualquier rincón de la casa.

RITA Y LITO

Estos simpáticos vecinos, habitantes del jardín, dejaron sus casas en las plantas para ir de visita a la habitación de los niños.

Muñequería

LA ARAÑITA RITA

Materiales

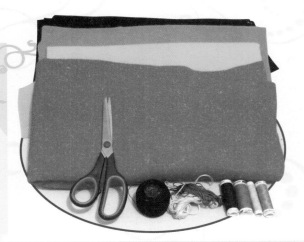

- Fieltro (paño lenci) de colores rojo, amarillo, naranja, rosa y negro.
- Tijera.
- Hilo y aguja.
- Hilo de bordar.
- Alambre fino.
- Cinta métrica o centímetro.
- Greda (tiza).

1 Colocar el molde de forma ovalada sobre el fieltro (paño lenci) negro. Trazar el contorno con greda (tiza). Cortar el óvalo con la tijera. Con la cinta métrica medir tres tiras de fieltro (paño lenci), una roja, otra amarilla y otra naranja de 3 cm de ancho y 25 cm de largo. Para realizar los ojos, dibujar con greda (tiza) dos círculos pequeños sobre el paño rosa. Cortarlos.

Ver molde en pág. 257

2 Cortar tiras de paño lenci de cada color, y redondear las puntas. Bordar con hilo negro una línea cerca de los extremos redondeados de las tiras. Así se dibujan los "pies" de la araña Rita. Colocar las patas de fieltro (paño lenci) sobre el primer óvalo. Ubicarlas en el centro del paño, como se muestra en la fotografía.

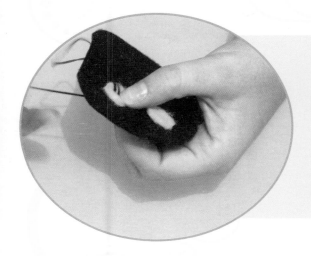

3 Coser con pequeñas puntadas de hilo negro los ojos de fieltro (paño lenci) rosa cerca de uno de los extremos de un óvalo de paño lenci negro.
Así queda un pequeño punto en el centro de cada ojo de la araña.

4 Superponer el óvalo con los pequeños ojos de la araña ya cosidos, sobre las patas de fieltro (paño lenci) de colores y el primer óvalo negro. Con hilo negro, coser las patas a los bordes de los dos óvalos, a ambos lados del cuerpo de la araña.

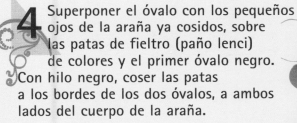

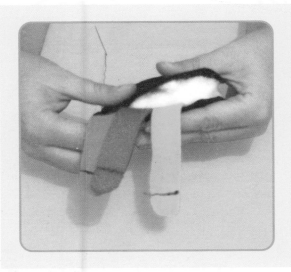

5 Por un extremo del cuerpo, rellenar la araña con algodón, para darle volumen.
Terminar la unión de los dos óvalos con una costura prolija, con hilo negro, alrededor de todo el contorno del cuerpo de la araña Rita.
Ya está el modelo terminado.
Si se desea, se puede colgar.

RITA Y LITO
EL CARACOL LITO

1 Con la cinta métrica y greda (tiza) marcar tres tiras sobre el fieltro (paño lenci), una de color rojo, otra naranja y otra amarilla, de 25 cm de largo por 2 cm de ancho. Este tamaño puede variar según el tamaño del caracol que se desee confeccionar.

2 Para realizar el caparazón del caracol, colocar las tiras roja, amarilla y naranja una sobre la otra, en el orden que se desee. Comenzar a enroscarlas con la mano en forma de espiral, tratando de que los bordes queden lo más prolijos posible. Las tiras deben quedar encimadas, como se puede observar en la fotografía.

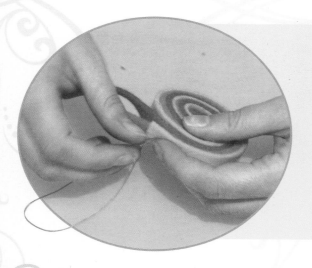

3 Al finalizar, coser con hilo del mismo tono de la tira que quedó en la parte superior del caparazón. Dar las puntadas desde el centro hacia fuera. Coser hacia los cuatro lados. En caso de que las tiras hayan quedado desparejas, cortar con la tijera los extremos que sobran.

4 Marcar con greda (tiza) una tira de 6 cm de ancho y 15 cm de largo sobre el fieltro (paño lenci) negro. Cortarlo. Doblarlo por la mitad y darle forma redondeada realizando pequeños pliegues que se sujetan con algunas puntadas con hilo negro. Los extremos pueden redondearse utilizando la tijera. Coser un pequeño dobladillo en los bordes.

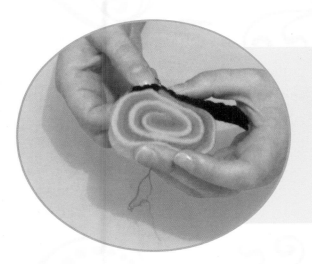

5 Con hilo negro, coser la tira de fieltro (paño lenci) negro (que simulará el cuerpo del caracol) a la parte inferior del caparazón realizado en paño lenci de colores. Debe quedar un extremo hacia fuera. Y estará listo el caracol Lito.

ROLO EL LEÓN

Este original león de estilo *naïf* está realizado con papel maché y porcelana fría. Puede convertirse en un gracioso pisapapeles, o simplemente decorar una biblioteca, un escritorio u otro mueble.

ROLO EL LEÓN

Materiales

- Papel de periódico.
- Papel tissue (papel Kleenex).
- Cola vinílica.
- Listón o cinta de papel.
- Porcelana fría.
- Pinceles.
- Tijera.
- Acrílicos de colores
  marrón, naranja y negro.

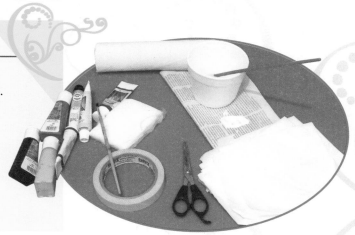

1 Realizar con pasta de papel maché una pequeña circunferencia que será el cuerpo del león.
Otra opción es hacer una circunferencia con papel de periódico y cubrirla con cinta de papel. Pintar con cola vinílica y pegar pequeñas porciones de papel sobre toda la superficie de la circunferencia.

Ver preparación de papel maché en pág. 176

2 Modelar una pequeña circunferencia en porcelana fría. Luego estirarla y aplastarla con los dedos. Darle forma circular. Los bordes deben quedar finos, como si fuera un volado. Este círculo será la melena del león. Colocarlo sobre la circunferencia de papel y pegar con cola vinílica.

Muñequería

3 Para realizar las garras del león, tomar otra porción de masa de porcelana fría. Modelar dos circunferencias pequeñas. Presionar levemente uno de los bordes de cada circunferencia con los dedos, para modelar dos gotas, como se ve en las fotografías.

4 En la parte más gruesa de las gotas modeladas en el paso anterior, realizar dos marcas con la tijera para hacer las hendiduras de las garras. Colocar la parte plana de las garras debajo de la circunferencia de papel maché (del lado en que está pegada la melena) y asegurarlas con cola vinílica.

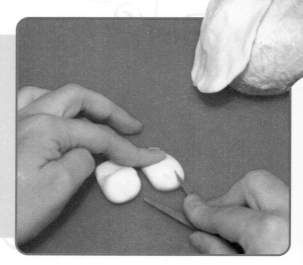

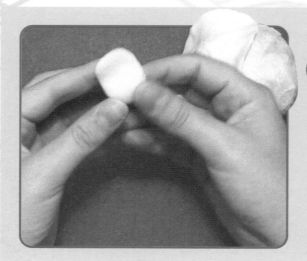

5 Tomar otra porción de porcelana fría y realizar dos circunferencias también pequeñas. Presionarlas con los dedos en uno de los extremos para que tomen la forma de media circunferencia. De esta manera se obtienen las patas de atrás del león. Colocarlas en la parte posterior del cuerpo y pegarlas con cola vinílica.

6 Para realizar la cola del león, tomar una porción de porcelana fría y modelarla con las manos, en forma de tira, haciendo más grueso uno de los extremos. Con cola vinílica, pegar a la circunferencia de papel maché el otro extremo de la cola y enroscarla alrededor del cuerpo, de manera tal que quede totalmente adherida.

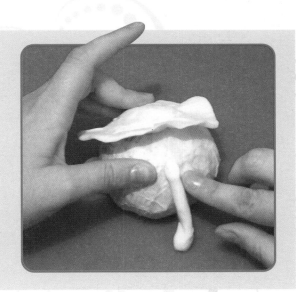

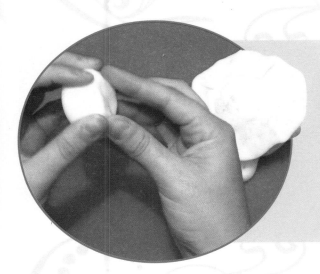

7 Para hacer el rostro, tomar otra porción de porcelana fría, modelarla con las manos, dándole forma de circunferencia. Aplastarla levemente y pegarla con cola vinílica sobre el centro de la melena del león.

8 Como se puede observar en la fotografía, hay que modelar con los dedos las orejas sobre la cara del león, ya pegado al cuerpo y, además, ahuecar levemente la parte superior de ésta, donde se ubicarán los ojos. Hacer una punta para marcar la nariz. Dejar secar la pieza por veinticuatro horas.

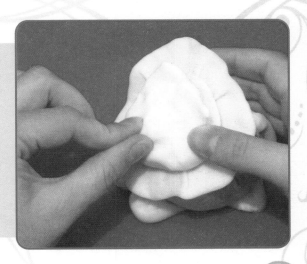

Muñequería

10 Luego pintar la melena con acrílico color marrón. Con el mismo tono, colorear el extremo de la cola.

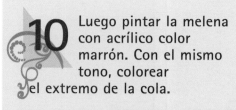

9 Una vez seca la pieza, pintar todo el cuerpo del león con acrílico color naranja con trazos firmes y parejos.

12 Por último, con pincel fino y acrílico color negro, pintar los pequeños huecos de las patas, los ojos, la nariz y los bigotes. Así quedará el león terminado.

11 Con un pincel fino, realizar algunos pequeños lunares en el cuerpo con acrílico color marrón. Pintar las orejas con el mismo tono.

PINTURA DECORATIVA

La utilización de la pintura decorativa para embellecer distintos objetos tiene una larga historia en las más diversas civilizaciones.

La pintura decorativa surgió en las regiones rurales, como recurso para adornar muebles y enseres. Las obras anónimas de artistas de estilo ingenuo, llenas de color, alegría y vitalidad, no han pasado nunca de moda.

En el presente continúa la tradición de esta técnica de artesanía popular.
Como toda superficie lisa y rígida puede ser decorada, cualquier objeto pintando en forma artesanal puede dar un toque de calidez y buen gusto a nuestro hogar.

CAJA DE LATÓN PINTADA

Una caja olvidada de latón se renueva para guardar todas esas pequeñas cosas que no tienen un lugar determinado, o aquellas que atesoran recuerdos inolvidables.

CAJA DE LATÓN PINTADA

Materiales

- Una caja de lata.
- Convertidor blanco mate.
- Pinceles: sintético chato, redondo sintético N.° 5, de cerda gastado N.° 5 y de cerda N.° 12.
- Acrílicos: mantequilla o piel, tierra sombra natural, tierra siena natural, siena tostado, blanco, amarillo, dorado, verde antiguo y verde mediano.
- Barniz sintético.
- Diseño.
- Papel encerado (papel manteca).

1 Lijar la caja de lata y pasarle una mano de convertidor de óxido. Dejar secar. Cargar un pincel con acrílico color mantequilla o piel y pasar dos manos bien parejas, dejando secar entre una y otra.

Nota

Al lijar la caja, verificar que no queden elementos sueltos. El convertidor se puede aplicar sin problemas sobre el óxido si está firmemente adherido. De lo contrario, se debe seguir el lijado hasta que no quede nada de óxido, y aplicar luego dos manos de convertidor.

Si la superficie de la caja ya estuvo pintada, hay que lijar y retirar las capas de pintura flojas o descascaradas y luego aplicar el convertidor.

2 Calcar el diseño en papel encerado (papel manteca) y transferirlo a la tapa de la lata. Verificar que la pintura haya secado completamente antes de realizar la transferencia.

Pintura decorativa

3 Empezar a pintar la maceta colocando en los bordes sombra natural, al lado, siena tostado, y en el centro, siena natural. Con esta base se hará el fundido de los colores.

4 Comenzar a fundir los colores desde el centro hacia los bordes, muy suavemente.
Una de las técnicas usadas para fundir colores es la utilización de un pincel de cerda casi seco, aplicado entre los diversos colores.

5 El siguiente paso consiste en pintar el interior de la maceta con siena tostado, y los bordes con sombra natural, aplicando cuidadosamente el pincel sintético al llegar a los bordes exteriores, para no pintar la maceta del lado externo.

CAJA DE LATÓN PINTADA

6 Cargar el pincel de cerda gastado N.° 5 con color verde mediano; descargar sobre un papel absorbente y comenzar a poncear para dar forma a la copa del árbol. Ejercer mayor presión en el centro y menor hacia los bordes. (Ver nota de página siguiente).

7 Con la misma técnica, pero esta vez con color amarillo, realizar pequeños toques y pintar unas ramas con siena tostado. Con pincel redondo N.° 5, pintar flores blancas en miniatura. Poncear en los bordes de la maceta imitando un follaje.

8 En la base de la lata realizar un follaje y pequeñas flores con la técnica de pincel seco. La terminación del borde de la tapa va con fondo dorado y se repiten las flores y las hojas.

CAJA DE LATÓN PINTADA

9 Para el interior de la tapa y de la caja, pasar dos manos de acrílico color verde noche, y luego salpicar con blanco y dorado. Dejar secar varias horas y así quedará totalmente decorada la caja, con una armoniosa combinación de colores.

Nota

Una técnica empleada para realizar los follajes de árboles y arbustos, al inicio del trabajo, es utilizar varios pinceles juntos y atados. De esta forma, es posible pintar la base del follaje para luego, con un solo pincel, realzar los detalles con los colores que queramos emplear.

BALDE DE ZINC

Un viejo balde de zinc se convierte, con un sencillo diseño, en una original frutera, producto de la habilidad de nuestras manos.

Pintura decorativa

Materiales

- Balde de zinc.
- Convertidor de óxido.
- Látex rojo óxido.
- Acrílicos: amarillo, ocre, caramel, mantequilla, borravino, blanco, verde Navidad, sombra natural, verde thalo, algarrobo, calafate.
- Esponja.
- Pinceles sintéticos: redondo N.° 5, liner, y chato N.° 6.
- Vinagre.
- Cepillo de dientes en desuso.

1 Embeber un poco de algodón en vinagre. Limpiar toda su superficie del balde de zinc con ese algodón.
Si es necesario, repetir la limpieza varias veces, hasta que la base a pintar quede totalmente libre de polvillo. Este es el primer paso para acondicionar el material que se va a pintar con convertidor de óxido.

2 Con la ayuda, de un pincel aplicar una mano de convertidor de óxido blanco, como base para la posterior capa de pintura. Dejar secar el tiempo suficiente antes de continuar.

BALDE DE ZINC

3 Humedecer la esponja y apoyarla sobre el papel absorbente. Con la misma esponja tocar el látex rojo óxido y poncear el interior de la pieza. De igual forma que en el paso anterior, pintar el exterior del balde dándole dos manos. Dejar secar entre una mano y la segunda.

4 Medir el molde. Marcar el tamaño en el barde de zinc y con un pincel, pintar el recuadro central con acrílico amarillo, con trazos parejos, para que el recuadro quede pleno de color.

Ver molde en pág. 258

5 Copiar el diseño del molde en papel de calcar o transferirlo con papel carbónico al recuadro pintado con amarillo, verificando previamente que la pintura de acrílico haya secado.

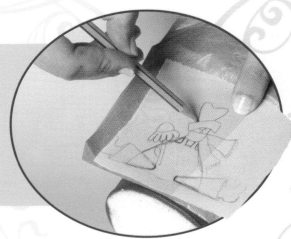

Pintura decorativa

6 Pintar el diseño con los siguientes acrílicos: el gorro con ocre, el rostro con mantequilla, la bufanda con borravino, la camisa con blanco, el jardinero con verde Navidad, y las botas con sombra natural.

Acrílico

Una de las características de la pintura acrílica es que se seca muy rápido. Si bien es soluble en agua, una vez seca es resistente. Por otro lado, al secarse, a diferencia del óleo modifica ligeramente el tono.

7 Con pincel liner, realizar los cuadros del jardinero, usando un acrílico azul petróleo a punto tinta y luego, aplicar ocre con líneas sueltas y desparejas. Para la flor, pintar el centro y el tallo con acrílico algarrobo; los pétalos con calafate, con sombra natural a punto tinta y pincel liner, saliéndose un poco de los bordes. Repasar con prolijidad los contornos.

8 Con el cepillo de dientes y acrílico color verde thalo a punto tinta, salpicar sobre el recuadro, tratando de no tocar el resto del diseño. Esta es una técnica que causa un muy buen efecto y realza la artesanía.

9 Limpiar el cepillo utilizado en el paso anterior. Embeberlo en acrílico color mantequilla a punto tinta. Salpicar el interior y el exterior del balde de zinc con ese color. Repetir la misma operación con el color caramel a punto tinta.

10 Con un pincel, aplicar una mano de barniz brillante sobre el diseño; en el resto de la pieza pasar barniz mate con otro pincel. Esto hará que la pintura brillante resalte por sobre el resto del balde, dándole un aspecto más vistoso.

Nota

Un consejo para el cuidado de los pinceles que se usan con pintura acrílica: es mejor limpiarlos con agua y jabón en lugar de hacerlo con solvente. Lo mismo se aplica a los cepillos que se utilicen.

107

DEL CAMPO
A LA COCINA

Rescatando una pequeña parte de una granja, se logra recrear con esta original técnica, una familia muy particular.

Materiales

- Bandeja de madera.
- Sellador para madera.
- Lija al agua N.° 1000.
- Látex blanco y amarillo.
- Esponja.
- Pinceles: cerda N.° 16, pinceleta sintética, redondo N.° 5.
- Acrílicos: amarillo, naranja, cerámica, naranja incaico, rojo Navidad, siena tostado, sombra natural, nuez, avocado, caramel, verde pino, ocre, amarillo limón, gris, rojo indio.
- Barniz satinado.
- Papel carbónico.
- Agua.
- Jabón blanco.

1 Lijar la pieza y luego retirar el polvo con un paño. Pincelar toda la bandeja con sellador para madera. La aplicación de este producto protege la madera del sol, la humedad y los hongos, así como de bacterias e insectos, gracias a sus componentes químicos.

2 Aplicar una mano de látex blanco, bien pareja. Con pinceleta sintética suave, aplicar dos manos de látex amarillo. Dejar secar y transferir a la bandeja el diseño, previamente calcado o utilizando papel carbónico.

Pintura decorativa

3 Determinar las zonas de sombra, comenzando por el sector izquierdo del diseño, utilizando como guía el modelo terminado.

Ver molde en pág. 259 a 263

Nota

La lija N.° 1000 es la que se usa para este tipo de trabajos, debido a que sus granos pequeños son óptimos para trabajar la madera, ya que permite un buen acabado.

4 Con pincel liner y acrílico color sombra natural a punto tinta, repasar los contornos. Para el suelo combinar verde pino, avocado y amarillo limón. Con liner y acrílico color sombra natural a punto tinta, realizar los bordes.

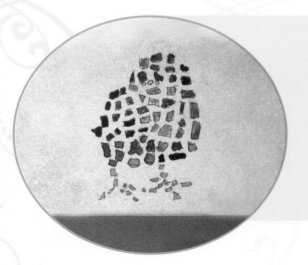

5 Para hacer el pollito, pintar el cuerpo con amarillo, naranja y rojo indio; el ojo, con acrílico negro. Para realizar los huevecillos, pintar con colores amarillo, naranja y rojo indio. Para hacer el tronco se debe intercalar colores siena tostado, sombra natural y nuez.

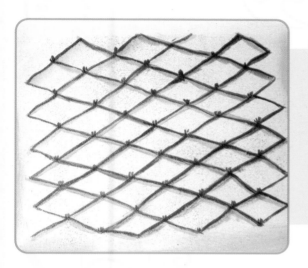

6 Para realizar el alambre del gallinero, con acrílico color gris metalizado y pincel fino, trazar las líneas según el molde. Una vez secas, realizar las sombras prolijamente. Dejar secar.

7 Trabajar el borde de la bandeja con una esponja, intercalando verde avocado y rojo. Pasar tres manos de barniz satinado, con pinceleta suave. Dejar secar muy bien entre cada una de ellas.

8 Preparar una solución de agua con jabón blanco y batir para formar espuma. Introducir la esponja y pasarla por la pieza, enjabonando bien. Con un trozo pequeño de lija al agua N.° 1000, pasar suavemente en forma circular; retirar los restos con un paño y secar. Al pasar la mano debe quedar una superficie muy suave. Volver a pincelar con barniz. Dejar secar.

Nota

Paredes, muebles y objetos cobran nueva vida al renovar la pintura. Una de las claves es lograr una buena combinación de los colores, ya sea utilizando una misma gama, o tonos que contrasten entre sí.

Pintura decorativa

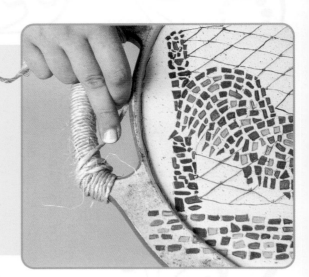

9 Para decorar la parte inferior de la bandeja, poncear con acrílico ocre y verde avocado y pincel de cerda. Dejar secar, y barnizar en su totalidad. Enroscar hilo sisal en las agarraderas. Al finalizar, pegar el extremo con pegamento universal, para que quede bien sujeto. Obtendremos así el modelo terminado.

Nota

• La lija se utiliza, en general, para pulir, alisar, limpiar o abrillantar una superficie frotándola. El lijado es clave para cualquier tarea de acabado (como la pintura o el barniz). Sin un lijado prolijo y perfecto, es difícil lograr una buena terminación.

• Elaborado a base de resinas sintéticas, el pegamento universal es transparente, limpio y cristalino. Además de las manualidades, tiene diversos usos para reparaciones en el hogar, para el modelismo y muchos otros.

SOUVENIRS DE MESA

Con alegres ocurrencias como estos mini arreglos para las Fiestas, podemos señalar en la mesa los lugares que queremos compartir con nuestros seres queridos.

FELIZ AÑO NUEVO

LUCÍA

113

Pintura decorativa

Materiales

- Acrílicos rojo Navidad, verde esmeralda, blanco, azul francés claro, amarillo, cerámica, verde agua, verde mediano, sombra natural.
- Pincel sintético chato, de cerda chato, liner.
- Hilo rústico.
- Cola vinílica.
- Pistola encoladora.
- Vela.
- Palillos de helado.
- Palillos de broqueta.
- Alambre dulce.
- Macetas o tiestos pequeños.
- Miniaturas de madera (pueden ser frutas u otras figuras).
- Musgo.
- Barro de floristería.
- Rodajas de kinotos secos.

1 Con el pincel, aplicar una mano bien pareja de acrílico rojo Navidad a la maceta. Dejar secar bien. Luego, raspar con una vela sobre distintas partes de la superficie de la maceta, previamente pintada.

2 Con la ayuda de un pincel, aplicar acrílico verde esmeralda en toda la superficie de la pieza y dejar secar.
Es muy vistoso el efecto que se puede lograr entre los dos colores y la vela previamente raspada contra la maceta. La lija será de gran utilidad para obtener esta terminación.

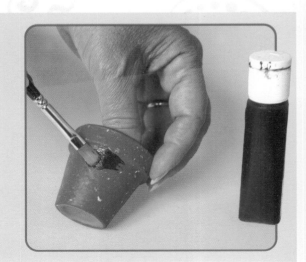

3 Pasar la lija con suavidad, para raspar sólo la mano de pintura verde. En las partes rayadas con vela va a saltar la pintura y se verá la pintura de base, en este caso de color rojo Navidad.

4 Con pincel liner y acrílico dorado realizar el dibujo de un pequeño árbol navideño y algunos detalles ornamentales en el borde. Se puede decorar también con fileteado y con distintos colores de acrílicos, según la ocasión y el gusto personal.

5 Pintar con rojo el corazón de madera. Con pincel liner, hacer líneas en el borde y escribir una frase (en este caso "Feliz Navidad"). Rellenar con barro de floristería o arcilla, un poco de cola vinílica y musgo. Sobre un palillo de broqueta enroscar el alambre dulce, dejando un chino (rulo) sobresalido en el extremo superior.

Pintura decorativa

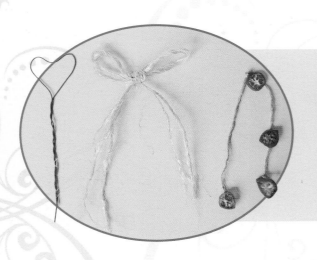

6 Con alambre dulce formar un corazón. Luego hacer un lazo con hilo rústico, y un colgante con el mismo hilo, al que se le pegarán las rodajas de kinotos secos con la pistola encoladora.

7 Pintar la maceta con acrílico amarillo, dando trazos parejos y firmes, y realizar los detalles con pincel sintético chato en acrílico color cerámica. Agrupar de a tres las miniaturas de madera. Pintar con acrílico verde noche el letrero (cartel), hacer unos orificios a los lados (en el caso de que no los tenga) y pasar un hilo rústico por ellos.

8 Para realizar el modelo celeste, primero es necesario dar una base de acrílico blanco. Luego, aplicar azul francés claro en forma despareja. Realizar los detalles con acrílico borgoña. Para hacer el modelo verde agua, sobre la base pintada con acrílico verde agua y con pincel de cerdas, realizar un follaje, pequeñas flores y hojas, y sólo flores en el borde.

SOUVENIRS DE MESA

Alambre dulce

El alambre dulce es un alambre blando (no siempre fino), muy dúctil para doblar y trabajar.

Además de utilizarse para artesanías, el alambre dulce tiene otras aplicaciones, por ejemplo, en las actividades agrícolas y en tareas de electricidad (variando su grosor). También se utiliza en el hogar, para hacer toda clase de pequeñas reparaciones y arreglos.

9 Para realizar el modelo verde agua, rellenar con barro de floristería en forma de pirámide y pincelar con cola vinílica. Tomar las frutas secas e ir colocándolas, haciendo presión hasta completar. Prolijar con trocitos de musgo. Hacer un lazo con hilo de rafia y colocar un pequeño letrero realizado con madera balsa o palillo de helado recortado. Lijar, pintar, y con pincel liner colocar un nombre o una leyenda. Para el modelo amarillo, pegar el lazo de hilo rústico en el corazón de alambre y colocarlo en la pequeña maceta ya rellena.

Para armar el modelo verde, pegar el corazón de madera con el alambre y el hilo rústico al palillo de broqueta. Como terminación, pegar miniaturas de estrellas hechas con madera.

Nota

Variando algunos de los materiales, los colores y los letreros de los souvenirs, se pueden adaptar estas artesanias para cualquier ocasión especial, como cumpleaños, aniversarios, etcétera.

117

Tips prácticos para pintar

FONDOS

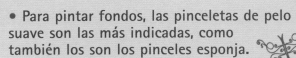

• Si se va a preparar un color especial para el fondo, es preciso hacer una buena cantidad con el tono elegido, para no tener que mezclar nuevamente en caso de ser necesario un retoque.

• Para pintar fondos, las pinceletas de pelo suave son las más indicadas, como también los son los pinceles esponja.

PARA LIMPIAR LOS PINCELES

• Si se utilizó óleo, colocar los pinceles en un colador de metal e introducirlos en un frasco con trementina. Limpiar el óleo de los pinceles contra la tela metálica del colador para que la suciedad se decante. Así no se removerá la que quedó asentada en el fondo cada vez que se sumerjan los pinceles para ser limpiados.

• Si se utilizó acrílico, para evitar que se acumule pintura en la zona de la virola de los pinceles, lo más conveniente es comenzar a limpiarlos desde el mismo momento en que se carga un pincel. Una buena carga de pincel se realiza trayendo pintura del montoncito que se coloca en la paleta, en forma suave y con la punta de los pelos del pincel, hacia la persona que está pintando. Evitar que la pintura moje más de las tres cuartas partes de las cerdas del pincel.

FLORES SECAS

Las flores, con su diversidad
de formas y tonalidades,
constituyen un elemento
ornamental tradicional.
Al natural, o utilizadas
en artesanías, siempre
han decorado los hogares.

La combinación de las
distintas variedades de flores
constituye un arte
que permite desarrollar
nuestra creatividad.
La ventaja de trabajar con
flores secas consiste en su
perdurabilidad y el fácil
acceso para conseguirlo.

Les proponemos, entonces,
realizar estos vistosos
arreglos, en los que
la naturaleza hace la
diferencia con miles
de formas y colores,
y nos regala su encanto.

FLORES EN RELIEVE

Este es un cuadro muy sencillo de realizar, ideal para regalar o regalarse, como adorno para una biblioteca o un estante.

FLORES EN RELIEVE

Materiales

- Marco de madera lustrado o pintado (este es de 14 x 17 cm).
- Fibrofácil (MDF).
- Lienzo.
- Canasta pequeña de mimbre.
- Cola vinílica.
- Tijera.
- Papel de embalar.
- Cartón.
- Flores secas.
- Navaja o trincheta.
- Cinta métrica.

1 Preparar el marco, lijando la madera. Luego limpiar con un trapo el polvo y restos que hayan quedado. Se puede dejar la madera al natural, o se le puede aplicar una capa de barniz. Cortar con una tijera bien afilada, un trozo de cartón y otro de fibrofácil (MDF), ambos de la misma medida que el marco.

2 Luego, forrar el cartón con lienzo y pegarlo con cola vinílica. Dejar secar bien. Se puede cambiar el cartón forrado con lienzo por cartón blanco o de color.

Flores secas

3 Cortar la canasta de mimbre por la mitad, con la navaja o trincheta. Agregar cola vinílica en el borde de una de las mitades y pegarla desde abajo en el centro del cartón forrado.

4 Empezar a colocar las flores dentro de la canasta pequeña, usando ilusión seca como base. Continuar agregándole otras flores hasta completar el diseño. Todas las flores se pegan con cola vinílica.

Nota

Otra opción es crear un arreglo con un cuadro donde se combinen frutas secas con flores.

Esta técnica también se puede aplicar sobre las superficies de mesas de distintas dimensiones, que se fabrican especialmente con ese fin. Esto permite renovar la decoración cada vez que se desee.

5 Pegar al marco, con cola vinílica, el arreglo ya terminado y por el lado de atrás. Dejar secar. Luego, forrar con papel de embalar la parte de atrás del cuadro y pegar con cola vinílica.

ÁRBOL DE HORTENSIAS

Con varios de estos pequeños árboles, de diferentes alturas, podemos recrear un pequeño jardín florido en el alféizar de una ventana, o en la sala de estar.

Flores secas

Materiales

- Oasis (esponja de floristería).
- Maceta o tiesto de barro.
- Tronco.
- Cemento de contacto.
- Arcilla.
- Cuchillo.
- Ramos de hortensias.
- Semillas.
- Musgo.
- Rafia.
- Guantes descartables.

1 Cortar un trozo de oasis (esponja de floristería) de forma cuadrada, y quitarle las aristas hasta redondearlo lo más posible. Colocarse los guantes y trabajar el oasis con las palmas de las manos hasta formar una esfera. Marcar un orificio haciendo presión con el tronco sobre el oasis.

Nota

- La arcilla se conoce también como greda y caolín.
- Otra denominación del musgo es lana de pobre.

2 Colocar bastante cemento de contacto en el orificio de la esfera. Introducir el tronco en sentido vertical. Debe quedar lo más recto posible. Dejar secar muy bien, hasta que quede firme.

ÁRBOL DE HORTENSIAS

3 Rellenar la maceta con arcilla y clavar en el centro el tronco ya preparado en el paso anterior. Dejar secar bien, para evitar que se mueva al armar el árbol. Es importante que la maceta tenga una buena base, para poder sostener el árbol. Pegar con cemento de contacto el primer ramo de hortensias, marcando así el centro de lo que será la copa. De esta forma se prepara la base de la artesanía.

4 A partir de ahí, empezar a pinchar y pegar pequeños ramos de hortensias desde el centro, hasta cubrir la esfera en su totalidad. Con la ayuda de una tijera emparejar el follaje formado.

5 Cubrir con musgo la arcilla de la maceta, pegándolo con cemento de contacto. Así se da un efecto similar al césped natural.

ÁRBOL DE HORTENSIAS

6 Decorar la esfera con flores secas o de tela, u otro material que sea de nuestro agrado. También se pueden utilizar botones, listones y otros elementos.

7 Realizar un lazo con la rafia y pegarlo en el tronco. Otra opción que da más color consiste en pegar dos lazos, de distintas tonalidades, para hacer el adorno más vivo.

Sugerencias

- El tronco se puede forrar con rafia.
- Se pueden usar distintas flores y elementos para cubrir la esfera: siemprevivas, marcela, clavos de olor, trocitos de canela en rama y otros.

RAMAS DECORADAS

Este es un arreglo que gusta mucho y que se puede colocar en diversos lugares: sobre una mesa, un mueble o el piso.

Flores secas

Materiales

- Un manojo de paja mansa.
- Piñas (frutos de pino).
- Hojas de brachichito.
- Hortensias.
- Alambre.
- Listón o cinta de tela.
- Cemento de contacto.
- Tijera.
- Pinza o alicate.
- Aerosoles dorado y blanco.
- Cinta métrica.
- Hojas de periódico.

1 Apoyar la paja mansa sobre una superficie plana y tornearla. Sostenerla bien fuerte y firme. Una vez logrado esto, atarla con alambre haciendo la mayor presión posible. Tanto para cortar como para manipular el alambre, utilizar una pinza o alicate.

Nota

La cantidad de paja mansa depende del grosor que se le quiera dar al arreglo.

2 Con la cinta métrica marcar una distancia de aproximadamente 20 cm desde la base (sujeta con alambre), pasarle el listón de tela y atar en forma firme, con un lazo.

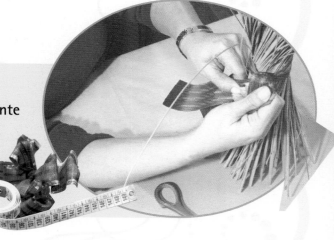

3 Con el aerosol dorado, pintar algunas piñas y hojas secas, como muestra la fotografía. Dejar secar bien, para poder manipularlas sin ensuciarnos las manos.

4 Pintar otras piñas con el aerosol blanco. Para no manchar la mesa en que se trabaja, utilizar como protección hojas de periódicos viejos. Luego desecharlos.

5 Una vez que las piñas estén secas, pasar un alambre alrededor de ellas y dejar unos 10 cm de sobrante, que se utilizarán posteriormente para sujetarlas al manojo de paja mansa.

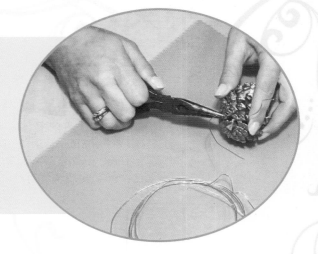

RAMAS DECORADAS

6 Distribuir algunas piñas blancas y otras doradas, en forma armónica, alrededor del atado de paja mansa. Sujetarlas con el alambre sobrante que dejamos previamente, teniendo la precaución de que éste no se vea. Otra variante es intercalar tonos y tamaños diferentes de piñas, creando así una guarda.

7 Después, acomodar las hojas de brachichito, pegándolas con cemento de contacto, formando de esta manera un diseño vistoso. Armar el grosor del arreglo de acuerdo con el tamaño de las piñas.

8 Por último, colocar un ramito de hortensias. Adherirlo con cemento de contacto a la paja mansa. Dejar secar el tiempo suficiente para que no se despegue. Así habremos finalizado el arreglo.

CORONA DE SIEMPREVIVAS

Un detalle sencillo y colorido para las puertas o las paredes de nuestra casa.

CORONA DE SIEMPREVIVAS

1 Cortar la aquilea dejando un cabo de 5 cm de largo. Pegarla a la corona con cemento de contacto. Seleccionar las siemprevivas por colores y tamaños y colocarlas en conjunto a continuación de la aquilea. Pegarlas a la corona. Continuar de esta manera hasta completar toda la corona, alternando los colores de las flores.

2 Luego, cortar la canela en rama y atarla con rafia natural. Pegar los ramitos de canela en la corona, de manera más o menos simétrica para que quede como el modelo terminado. Agregando listones o cintas rojas y adornos plateados y dorados, se puede transformar la corona en un arreglo especial para decorar el hogar durante las festividades de Navidad y Fin de Año.

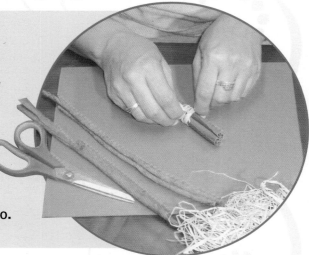

VASIJA ORNAMENTAL

Esa vasija olvidada en un rincón, se puede convertir en un llamativo adorno para el descanso de la escalera.

VASIJA ORNAMENTAL

Materiales

- Vasija alta.
- Hojas de periódico.
- Arcilla.
- Tijera.
- Pinza o alicate.
- Ramas de sauce eléctrico.
- Mohas.
- Varas de cañas con hojas.
- Avena.
- Cardos.

1 Colocar hojas de periódico arrolladas adentro de la vasija, hasta llegar a diez centímetros del borde. Completar rellenando con la arcilla hasta el borde. Aquí se insertarán las varas.

2 Fijar en el centro y a cada uno de los lados las varas de caña. Así se determinan la altura y el ancho del arreglo. Por detrás, colocar el sauce eléctrico. Atar con alambre manojos de distintos materiales, dejando diez centímetros de sobrante para poder pincharlos en la arcilla. Colocar uno por uno, combinando los distintos tonos y formando el diseño.

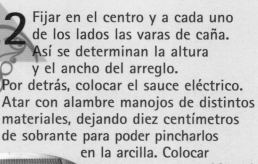

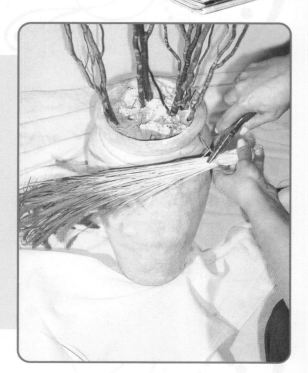

ESQUINERO DE FLORES

Este esquinero fue ideado para adornar y realzar el marco de una puerta o una ventana.

Flores secas

Materiales

- Tejido de alambre.
- Hojas de periódico.
- Cemento de contacto.
- Tijera.
- Pinza o alicate.
- Cinerea o eucalipto.
- Rulos de paja mansa.
- Hortensias.
- Arroz marino.
- Mohas.

1 Cortar con la pinza un rectángulo de tejido de alambre de aproximadamente 80 cm x 20 cm y formar un tubo. Éste debe tener un grosor acorde a las dimensiones del marco que estamos por decorar, por lo que el ancho puede variar según la necesidad.

2 Arrollar hojas de periódico e introducirlas dentro del tubo para darle forma y consistencia. Cuidar que el alambre no quede ni demasiado lleno ni muy vacío y esté lo más parejo posible.

3 Con otro alambre, atar el tubo a lo largo y hacerlo de manera que quede bien ajustado. Utilizar la pinza para manipular el alambre. Tanto en la utilización de pinzas como en la de alambres, se debe tener mucho cuidado, para evitar lastimaduras o cortes.

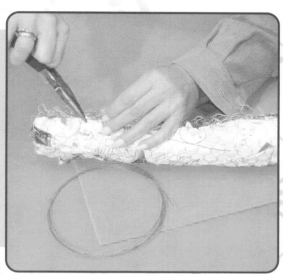

4 Después de haber sujetado bien el tubo con el alambre, doblarlo en forma de 'L'. En el caso de que se presenten dificultades con la manipulación para el doblado, se pueden correr, aplastar o sacar algunas hojas de periódico del tubo en la parte donde se procederá a hacer la curva, dejando así mas débil y flojo ese sector.

5 Una vez preparado el "codo" del esquinero, cortar prolijamente y pegar con cola vinílica los tallos de cinerea, empezando por las puntas y siguiendo hacia el centro del arreglo.

ESQUINERO DE FLORES

6 Una vez colocada toda la cinerea, continuar agregando en forma alternada las mohas y el arroz marino, hasta llenar por completo el esquinero.

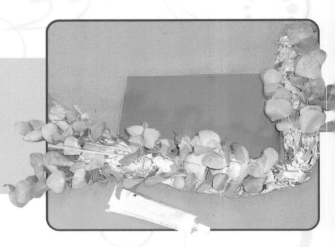

7 Para terminar, pegar con cola vinílica un ramo importante de hortensias, pero delicado, en el vértice del codo. Colocar otro ramo más pequeño en cada uno de los extremos. De esta manera, el esquinero está listo para ser colgado es el marco de una ventana o en una puerta de nuestro hogar.

Nota

- La moha es el nombre común de la *setaria itálica*, que es un cereal.
- En algunas regiones de América el alicate se conoce como pinza.

JABONES
DECORADOS

Una forma original de decorar el cuarto de baño y, a la vez, perfumarlo.

JABONES DECORADOS

Materiales

- Jabones de tocador.
- Listón o cinta de raso.
- Cola vinílica.
- Tijera.
- Cemento de contacto.
- Arcilla.
- Diamantinas.

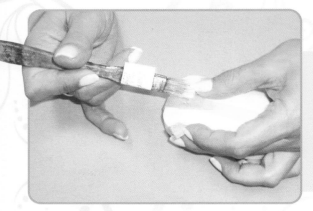

1 Cortar con la tijera el listón o cinta a la medida del doble del largo y el ancho del jabón elegido, y pegarla con cola vinílica. Dejar que seque bien.

2 Realizar una esfera de arcilla y pegarla al jabón, con cemento de contacto, en la unión de los dos listones Dejar secar. Pinchar las diamantinas en la arcilla, intercalando los colores para formar el diseño.

ARREGLO PARA COCINA

Una sencilla canasta de mimbre puede convertirse en un arreglo rebosante de flores y colores, que llenará de vida el hogar.

Flores secas

Materiales

- Canasta de mimbre.
- Nailon.
- Arcilla para flores secas.
- Papel de periódico.
- Cemento de contacto.
- Alambre.
- Tijera.
- Flores de azafrán.
- Flores de marcela.
- Laurel.
- Alpiste de diferentes colores.
- Rodajas de naranjas disecadas.
- Macetas, tiestos o cacharros pequeños de barro.
- Hilo.
- Pinza o alicate.

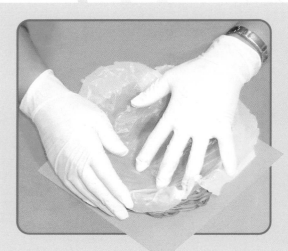

1 Recortar en forma circular un trozo de nailon y forrar con él la canasta para impedir que se humedezca cuando coloquemos la arcilla. Recordemos que tanto el mimbre como las maderas, se deterioran rápidamente con los efectos de la humedad, entre otros factores.

2 Formar un bollo (o varios) con hojas de periódico y colocarlo en el fondo de la canasta. De esta manera logramos economizar la cantidad de arcilla necesaria y la canasta no quedará tan pesada. Será una ventaja en el momento de manipularla.

3 Colocar suficiente cantidad de arcilla para que llegue hasta el borde de la canasta y se puedan pinchar los materiales. La arcilla debe cubrir toda la superficie de la canasta.

Nota

- El azafrán también se conoce como tritomes.
- Algunas variedades de la marcela son marcela blanca y marcela hembra.

4 Colocar la flor de azafrán en el centro de la canasta para fijar la altura del arreglo. Luego, armar conjuntos de estas flores, combinando distintas variedades.

5 Formar ramos con cada uno de los materiales (marcela, alpiste de varios colores, azafrán) y atarlos con alambre, rodeándolos desde la parte superior de los tallos hasta abajo. Dejar libres unos 3 ó 4 cm para poder pincharlos en la arcilla.

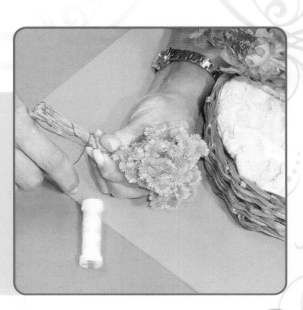

Flores secas

6 A continuación de las flores de azafrán pinchar en la arcilla los demás ramos armados, previamente atados, combinando colores y materiales.
Cuanto más juntos éstos estén, más tupida quedará la superficie y resultará más vistosa. Así, estará lista la canasta, base de esta artesanía.
A continuación se suman los adornos seleccionados con anterioridad.

7 El siguiente paso consiste en sujetar la maceta a la canasta. Para ello, pasar el alambre por la perforación y atarlo en la parte superior con unas vueltas.
Dejar 4 ó 5 cm de alambre sobrantes.

8 Con mucho cuidado, pasar otro alambre de un lado a otro de una rodaja de naranja. Dejar siempre un sobrante de alambre. Éste será necesario luego, para fijar los distintos elementos a la canasta.

9 El paso siguiente es colocar tres rodajas secas de naranja en el borde y en el frente de la canasta. Ubicarlas a diferentes alturas y en distintas direcciones. Sujetarlas con alambre a la canasta de mimbre. Se pueden agregar también pimientos disecados o limones.

10 En los bordes de la canasta Ubicar los cacharros, macetas o tiestos pequeños. Asegurarlos bien con cemento de contacto, o atándolos con alambre. Para esto es preciso utilizar la pinza.

Notas

- Este es un trabajo en el que los materiales seleccionados van colocados en grupos o conjuntos.
- Las macetas que se eligieron son perforadas y los cacharritos tienen asas, para poder pasarles el alambre.
- El uso del cemento de contacto es optativo. Puede contribuir para fijar mejor los materiales.
- En este caso usamos laurel fresco. Con el paso de los días éste se seca y cambia de tonalidad.

ARREGLO PARA COCINA

11 Colocar la canasta terminada en algún lugar bien visible.
Si es posible, ubicar el arreglo de colores sobre el alféizar de una ventana, en un espacio bien iluminado para que se destaquen los distintos tonos.

Secado de naranjas

- Cortar rodajas finas de naranjas. Disponerlas en una asadera y colocarlas en el horno a temperatura mínima. Controlar cada tanto y en alrededor de 3 ó 4 horas estarán listas.
- Este procedimiento también se puede realizar con manzanas y con limones.

Nota

Se han puesto de moda bonitos adornos de flores secas. Si los adornos son realizados por nosotras mismas, poseen un especial toque personal.
Tanto para nuestro hogar como para regalar, un adorno floral siempre es un delicado detalle para obsequiar a nuestros amigos y seres queridos.

12 Otra posibilidad es utilizar manzanas y limones secos para decorar la canasta.

BANDEJA CON FLORES

Renovemos nuestra bandeja de todos los días con un toque romántico, inspirado en los campos de flores silvestres.

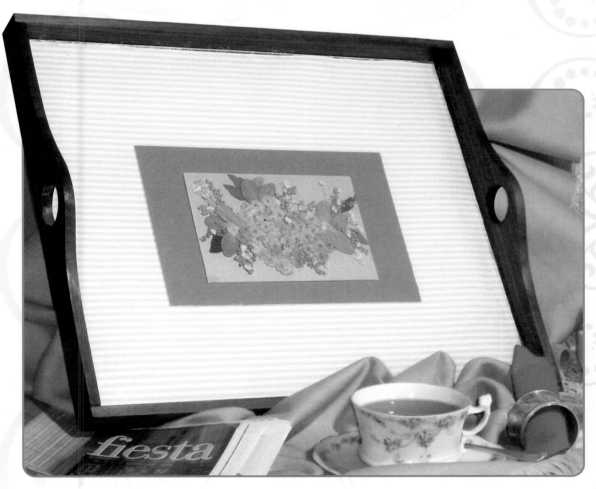

Flores secas

Materiales

- Bandeja de madera.
- Nogalina.
- Sellador.
- Goma laca.
- Lija.
- Esponja de aluminio.
- Pinceles.
- Vidrio.
- Variedad de flores secas.
- Guantes descartables.
- Cinta métrica o centímetro.
- Papel.
- Cartón sueco.
- Pistola de silicona.
- Cola vinílica.
- Tijera.
- Pinza o alicate.
- Navaja o trincheta0.
- Regla.

1 Lijar totalmente la bandeja tratando de quitar los restos de pintura vieja. Esto es importante para que quede prolijo el teñido de la pieza. Limpiar con un paño seco y verificar que no queden restos de polvo. Así queda preparada la bandeja para poder aplicar la nogalina.

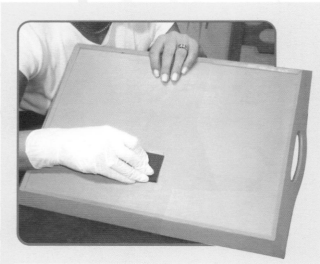

2 Utilizando guantes y un pincel, aplicar nogalina sobre toda la pieza. La nogalina se utiliza como colorante para la madera y se debe manipular con cuidado, porque mancha con facilidad. Tener a mano un paño para retirar el exceso de nogalina y evitar manchas. Dejar secar.

BANDEJA CON FLORES

3 Cuando ya se secó la primera capa de nogalina, pasar la esponja de aluminio sobre toda la superficie. Aplicar luego una segunda mano. Dejar secar. En el caso de no haber quedado uniforme, aplicar una tercera capa.

4 Pasar con un pincel dos manos de sellador sobre toda la superficie de la bandeja. Dejar secar bien entre una y otra mano. Si fuera necesario acelerar el secado, puede ponerse al sol entre 25 y 30 minutos, aproximadamente.

5 Una vez que se haya secado bien, lustrar con goma laca, pasando un vellón de algodón en un solo sentido, hasta cubrir toda la superficie. Dejar secar. Volver a pasar la goma laca con el pincel tantas veces como sea necesario para lograr el lustre deseado.

Notas

Luego de cada mano de goma laca se debe dejar secar bien, pues de lo contrario se arrastra el material ya aplicado.

Flores secas

6 Medir los lados de la bandeja. Dibujar su contorno de acuerdo con las medidas obtenidas sobre papel, cortarlo con la tijera y pegarlo con la cola vinílica sobre la bandeja. Ya está lista la base de la bandeja.

Notas

- Los adornos con flores secas, a diferencia de las flores naturales, se mantienen por tiempo indefinido. Sólo hay que limpiarlos de polvo, con mucho cuidado y cierta frecuencia, para tenerlos siempre lindos y coloridos.
- La utilización de flores secas tiene una amplia aplicación: se pueden utilizar composiciones de flores secas sobre papel y ponerlas en marcos hechos para tal fin. Otros cuadros pueden decorar cajitas, costureros, bandejas, etcétera. Muchos muebles vienen preparados con un cristal para poner debajo de ellos trabajos con flores u otros.

7 Cortar dos trozos de cartón sueco de colores contrastantes, utilizando para ello la navaja o trincheta. Una buena opción es pegar los cartones, para evitar que se muevan y así cortarlos parejos y con la medida necesaria.

8 Pegar los cartones uno sobre otro con cola vinílica, dejar secar bien y realizar el trabajo con las flores secas en el más pequeño de los cartones, que quedó arriba.

9 Con la ayuda de la pinza tomar las flores y las hojas secas previamente seleccionadas por tamaños y colores, y formar el diseño sobre el centro del cartón, combinando los elementos y buscando el efecto de color deseado.

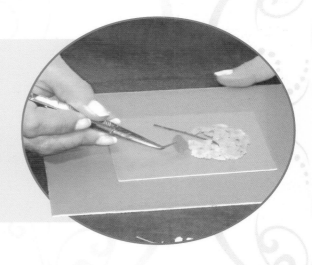

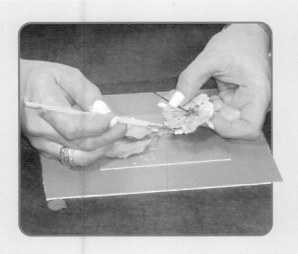

10 Con sumo cuidado, pegar los elementos uno por uno pincelando con cola vinílica o adhiriéndolos con la pistola encoladora. Si las flores tienen alambre en reemplazo de los tallos, asegurarlas al cartón mediante la utilización de la pinza o alicate, tratando de dejar ocultos los alambres.

BANDEJA CON FLORES

11 Cuando todo esté bien seco, colocar el vidrio y pegarlo con silicona.
Una vez que ésta se seque, se puede comenzar a utilizar esta vistosa bandeja.

Prensado y secado de flores

- Para el prensado de hojas y flores escoger preferentemente las que tienen poco volumen.
- Colocarlas entre dos láminas de papel secante y luego ponerlas dentro de un libro.
- Mantenerlas así aproximadamente quince días, cuando estarán prontas para

POPURRÍ DE COLORES

Coloridos y juveniles souvenirs para 15 años, hechos con pequeños frascos llenos de popurrí.

153

Flores secas

Materiales

- Frascos pequeños.
- Plancha de corcho.
- Tijera.
- Rafia.
- Popurrí de colores.
- Retazo de tela.
- Cemento de contacto.
- Navaja o trincheta.

2 Colocar un listón o cinta de rafia alrededor del cuello de cada frasco y agregar una tarjeta de agradecimiento.

1 Llenar los frascos elegidos con popurrí de colores. Cortar pequeñas tapas de corcho y pegarlas con cemento de contacto de forma prolija, en cada frasco.

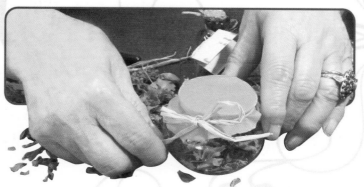

Tips prácticos para el secado de flores

RECOLECCIÓN

Lo ideal es recoger las flores cuando estén abiertas por completo, que es en el momento en que sus colores son más vivos.
Se debe hacer a primera hora de la tarde, cuando las flores están exentas de humedad o rocío.
No se las debe recolectar si el día es demasiado húmedo o si ha llovido, porque la humedad favorece la proliferación de moho.

SELECCIÓN

Hay que seleccionar sólo hojas y flores tiernas, no dañadas. Cualquier defecto en una flor antes de prensar se intensifica con el prensado y en consecuencia no sirve. Lo mejor es llevar una bolsa de plástico para conservarlas frescas, pero evitar que se opriman demasiado. Cuando se termine la recolección, lo mejor es llenar la bolsa con aire y cerrarla: el aire del interior evita que las flores se marchiten. Cuanto antes se prense el material recolectado mejor será el resultado de este proceso.

Prensa de madera

Materiales
- Dos tablas de aglomerado.
- Cartón.
- Papel absorbente.
- Cuatro tornillos largos.
- Cuatro tuercas de mariposa.

Realización
- Realizar cuatro orificios en cada tabla de aglomerado. Cortar el cartón y el papel absorbente a la medida de cada tabla y recortar las cuatro esquinas dejando lugar para los tornillos. Es necesario ubicar las flores de modo que no se toquen, y dejarlas en un sitio seco durante al menos tres a cuatro semanas.

Tips prácticos para hacer popurrí

POPURRÍ

La palabra popurrí deriva de la palabra francesa *pot-pourri*, y consiste en una mezcla de flores, hojas e ingredientes naturales.

Materiales
- *Cuencos o platos.*
- *Flores frescas perfumadas.*
- *Pétalos de flores.*
- *Frutas.*
- *Hierbas y semillas aromáticas.*
- *Especies.*
- *Esencias.*

POPURRÍ CON ESPECIES

- Pétalos de azaleas y claveles.
- Pétalos de rosas.
- Hojas de verbena.
- Una pequeña cantidad de tomillo.
- Aceite de rosa y de clavel.

POPURRÍ DE HIERBAS

- Romero, lavanda, laurel, clavos de olor, citronela.
- Pétalos de rosas.
- Mezcla de 4 especies: canela, jengibre, nuez moscada, pimienta.
- Unas gotas de aceite de sándalo.

POPURRÍ ORIENTAL

- Pétalos secos de rosas rojas.
- Romero seco, camomila o manzanilla seca.
- 2 gotas de esencia de rosa.
- 2 gotas de esencia de bergamota.
- 2 gotas de esencia de patchouli.
- 4 clavos de olor.

PAPEL

El papel es un material que se ha utilizado ya en las antiguas culturas precolombinas para ornamentación. Por ejemplo, los mexicas utilizaban el papel picado* pintado de distintos colores para banderas ceremoniales. También servía para confeccionar títulos que otorgaban los guerreros aztecas. Este papel era elaborado con amate o con hojas de maguey.

En estas páginas presentamos varios objetos artesanales donde se explican distintas técnicas para trabajar papel, haciéndolos livianos y agradables al tacto. Sus diseños combinan en forma creativa una variedad de texturas y colores que se destacan por su diversidad, calidad y presentación, y otorgan un carácter único a cada pieza.

* El papel picado se conoce en algunos países como guirnalda de papel.

CUADRO RÚSTICO

Este cuadro dará un toque natural, sencillo y cálido a la decoración de nuestra casa.

CUADRO RÚSTICO

Materiales

- Pasta para preparar símil granito.
- Tabla de madera.
- Servilletas de papel con diseño de magnolias (o el que se desee).
- Fijador sellador.
- Tijera.
- Paño amarillo (de cocina).
- Acrílicos: verde avocado, amarillo, siena tostado.
- Pinceles: angular sintético de 1/2 pulgada, cerda chato N.° 8.
- Barniz al agua mate.
- Pie de apoyo plástico (1 ó 2).
- Convertidor de óxido blanco mate.

1 Preparar la pasta símil granito como indica el envase. El tiempo de secado depende del producto. Leer atentamente las instrucciones de la etiqueta que trae el envase, para verificar las características del producto.

2 Una vez preparada, estirar la pasta con el palote, sobre mármol o madera, en forma irregular para dar un aspecto áspero. Dejar secar y dar vuelta la pieza varias veces hasta lograr un secado parejo. Una vez logrados la forma y el tamaño de su preferencia, dejar a un lado para que seque completamente. Mientras tanto, se trabaja con el papel.

Papel

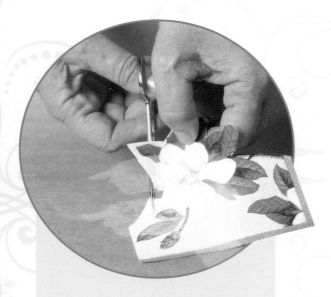

3 Recortar prolijamente por el borde del diseño de la servilleta previamente seleccionada y separar sus capas. Así tendremos el dibujo listo para comenzar a adherirlo al cuadro. Se debe verificar que la pasta preparada esté bien seca y libre de polvo.

4 Pincelar con fijador sellador sobre la parte a pegar. Colocar con cuidado el recorte de la servilleta y, por encima de éste, volver a pincelar con sellador. Dejar secar.

Nota

El flotado se puede hacer con un pincel angular o uno chato; se introduce en agua; se retira luego el excedente de agua. Se apoya la punta sobre el acrílico, desplazándolo sobre la paleta para que se distribuya el color y el agua, hasta que se junten. Se procede a sombrear para "despegar" el diseño de la base.

5 Con acrílico verde avocado y pincel angular, realizar un flotado para despegar el diseño de la base. Este procedimiento debe realizarse con mucha delicadeza.

CUADRO RÚSTICO

6 Trabajar el borde con acrílicos verde abocado, amarillo y siena tostado bien aguados. Primero pasar fijador sellador. Luego pintar con los acrílicos aguados con pincel. Poncear con paño húmedo y dejar secar todo el tiempo que sea posible.

7 Luego, aplicar en toda la pieza dos o tres manos de barniz mate. Esto se hace para conservar el efecto piedra granito. Verificar con anticipación que el pincel a utilizar esté completamente libre de restos de pintura, para no manchar el trabajo.

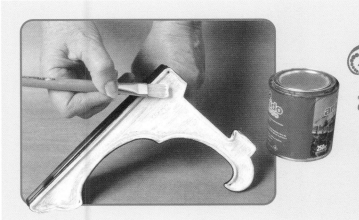

8 En el pie de apoyo plástico, pasar una mano de convertidor de óxido blanco mate. Dejar secar bien antes de continuar con el siguiente paso. Tener en cuenta que es muy importante limpiar bien el pincel con aguarrás para poder utilizarlo en el siguiente paso sin manchar.

CUADRO RÚSTICO

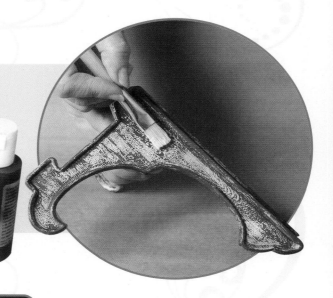

9 Aplicar una mano de acrílico avocado en el pie. Como este acrílico es texturado se produce un efecto de craquelado. Finalmente, adosar el pie al cuadro.

Nota

El modelo que presentamos mide 25 cm de alto por 21 cm de ancho.

10 Al trabajar con una servilleta de papel muy fina, ésta se adhiere a la superficie y parece pintada a mano.

Nota

Muchas paredes pueden cambiar completamente su aspecto gracias a un cuadro. La renovación de nuestro hogar se define muchas veces con un pequeño detalle bien elegido.

HOJAS DECORATIVAS

Estas hojas realizadas en papel de seda, proporcionan con sus largos tallos una decoración elegante para un comedor o un loft.

Papel

Materiales

- Papel blanco de seda o de barrilete.
- Hoja de acetato o radiográfica, lavada con lavandina o lejía.
- Cola vinílica.
- Pinceleta de cerda.
- Hilo de rafia o sisal, natural o de color.
- Especies o hierbas secas.
- Varillas de mimbre.
- Barniz al agua mate.
- Plantilla de cartón.
- Hoja a elección.
- Papel de periódico.
- Tijera.

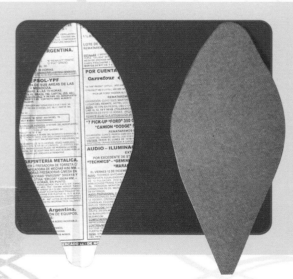

1 Dibujar una hoja sobre el papel periódico. Se puede utilizar como modelo la hoja grande de cualquier planta o árbol que se prefiera. Es conveniente elegir una cuyos bordes sean lisos, para facilitar así la tarea. Transferir en un cartón grueso el diseño de la hoja, para obtener una plantilla base.

2 Luego, preparar una mezcla de cola vinílica y agua en partes iguales. Esto nos dará como resultado una sustancia equilibrada, que será liviana pero cumplirá igual su función de pegamento adherente.

3 Cortar pequeños trozos de hilo de rafia o sisal, teniendo en cuenta que la medida de éstos dependerá del tamaño de la hoja seleccionada. Deshilachar y separar los cortes lo mejor posible en hebras finas.

4 Sobre la hoja de acetato o radiográfica extender el papel de seda. Comenzar a pincelar desde el centro hacia los bordes con la preparación de cola y agua hasta que quede toda la superficie completamente mojada, pero no empapada. Colocar otra hoja y repetir el paso.

5 Inmediatamente (sin dejar secar), colocar las hebras de hilo en forma pareja y separadas unas de otras, como lo muestra la fotografía. Es importante tener en cuenta que si se evita que queden hebras amontonadas, el trabajo quedará mucho más prolijo.

HOJAS DECORATIVAS

6 Agregar dos capas más de papel a las anteriores.
Al utilizar hierbas o especias proceder de la misma forma.
Dejar secar. Retirar las hojas cuidadosamente, colocar la plantilla y recortar.

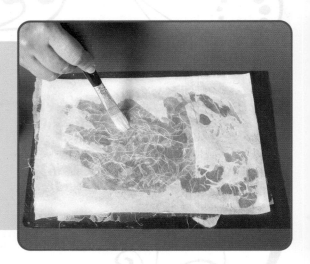

7 Finalmente, por el lado brilloso del papel, colocar la varilla de mimbre y, con pincel, aplicar cola vinílica. Sujetar unos instantes y dejar secar. Proteger con barniz al agua mate.

Nota

- El papel de seda en algunas regiones se conoce como papel barrilete.
- Otra forma común de nombrar el papel tipo "Kleenex" es papel "Tissue".
- El papel kraft en algunos países se denomina papel madera.
- Se llama chino a la forma de un rulo.

SAPITOS DE PAPEL MACHÉ

Estos simpáticos sapitos puede decorar un escritorio, o ser un novedoso souvenir para toda ocasión.

Papel

Materiales

- Hojas de periódico.
- Papel fino, tipo "Tissue" o "Kleenex".
- Cinta de papel.
- Cola vinílica blanca.
- Pincel.
- Tijera.
- Pintura acrílica de distintos colores.

1 Hacer un bollo de papel, del tamaño que tendrá el cuerpo. Darle forma redondeada. Cubrir con la cinta de papel toda la superficie.

2 Cortar pequeños trozos de papel. Se puede utilizar papel de periódico, tipo "Tissue" o "Kleenex". En este caso se utilizó un papel fino blanco, como se puede observar en la fotografía.

Nota

En lugar de tirarlos, podemos hacer una suerte de "*reciclaje artístico*" al guardar las viejas hojas de periódicos. En esta y otras artesanías de esta publicación se presentan varias propuestas para aprovechar este material, que muchas veces se acumula y forma parte de los residuos generados en el hogar.

SAPITOS DE PAPEL MACHÉ

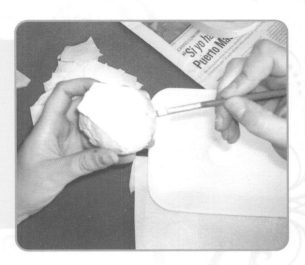

3 Pintar la circunferencia con cola vinílica blanca y adherir los papeles pequeños.
Con el pincel, pegar bien los bordes de los papeles.
Es importante que queden bien pegados, para poder continuar con nuestro trabajo.

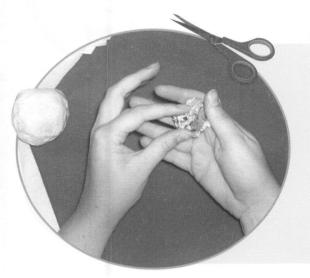

4 Hacer cuatro bollos más pequeños pero iguales entre sí, que servirán para las patas traseras y delanteras.
Es necesario que queden cubiertas las circunferencias con dos capas como mínimo. El espesor de las capas con que se cubra otorgará diferentes texturas en el acabado. Dejar secar bien todo.

5 Dibujar un apoyo en forma de mariposa, teniendo en cuenta el tamaño que se le dio al cuerpo y a las patas.
Transferir este dibujo al cartón y cortar con la base final con tijera.
Quedará así preparado el apoyo de las patas de adelante y de atrás.

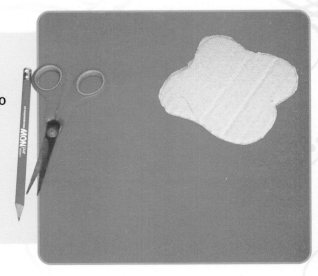

Papel

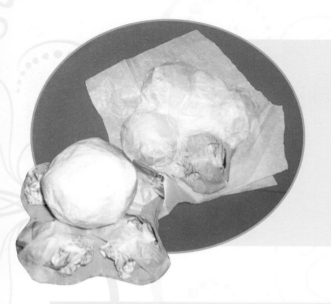

6 Una vez secas, pegar las cuatro patas en los extremos de la base con cinta de papel.
Pintar con cola vinílica toda la base e ir pegando los papeles blancos de la misma forma que se hizo con el cuerpo. Dejar secar bien.

7 Terminado el paso anterior y corroborando que esté bien seco, se continúa con un pequeño chino (rulo) de cinta de papel, que se coloca entre los cuatro bollos pequeños. Adherir allí el cuerpo. Si es necesario, agregarle más cinta en la base, para que quede bien firme el cuerpo del sapito.

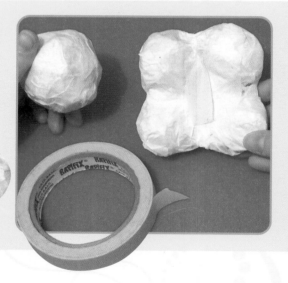

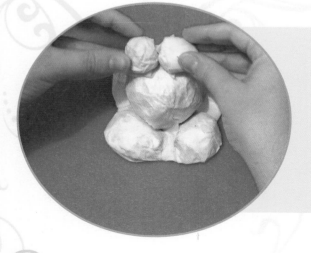

8 Hacer otros dos bollos pequeños, que conformarán los ojos del sapo. Encintar los dos bollos nuevos (que tienen que quedar iguales) y pegarlos al cuerpo con cinta de papel. Tienen que quedar bien firmes.

SAPITOS DE PAPEL MACHÉ

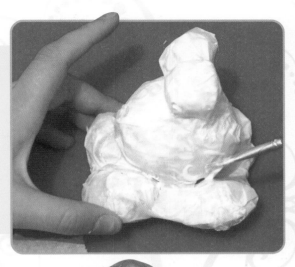

9 Después, con la ayuda de un pincel encolar todo el sapo y adherir una nueva capa de papel, dando las terminaciones con la yema de los dedos. Siempre es importante ir dejando secar para que no se haga una pasta. Antes de comenzar a pintar tiene que estar completamente seco.

11 Se deja secar y se le hacen las pequeñas pintas amarillas. Dejar secar nuevamente. Bordear todo con negro, marcando también los ojos.

10 Con un lápiz, dibujar la boca y los ojos. Primero se pinta la boca. Luego se pinta el cuerpo del sapito con color verde, y se dejan en blanco las partes superiores de los ojos.

CUENCO RÚSTICO

El cuenco es uno de los objetos más primitivos que realizó el hombre. Una reproducción bien lograda de estos recipientes hará que toda nuestra familia nos admire.

CUENCO RÚSTICO

Materiales

- Papel kraft (papel madera).
- Bol de vidrio.
- Papel maché.
- Cemento.
- Arcilla en polvo.
- Sellador fijador.
- Punzón grueso.
- Pincel de cerda chato.
- Betún de Judea.
- Aguarrás.
- Hilo rústico.
- Ramas secas.

1 Preparar una pasta de la siguiente manera: colocar papel maché en un bol y agregar poco a poco cemento y arcilla en polvo, hasta obtener una masa moldeable, pero no muy blanda. Inmediatamente se procede a trabajar con esta preparación, ya que su secado es rápido. (Consultar sobre la preparación de la pasta de papel maché, en página 176).

2 Forrar un bol, preferentemente de vidrio, con papel kraft. Humedecer el papel con esponja y agua, en su totalidad. Evitar que se rompa. Realizar esta operación en toda la superficie del recipiente.

Papel

3 Comenzar a colocar trozos de masa sobre el papel kraft e ir mojando los dedos en sellador fijador para emparejar, hasta completar todo el bol. Esta tarea es muy delicada, ya que terminada, ésta es la base de la artesanía. Dejar reposar hasta que esté bien seco.

4 Desmoldar y dejar secar unos días más. Verificar que la pieza esté completamente seca para continuar con el siguiente paso. Una buena forma de lograr evitar la humedad es colocar la pieza en un lugar aireado y cálido.

5 Aplicar en forma despareja betún de Judea con pincel de cerda por toda la pieza e intercalar con un poco de aguarrás, como se puede observar en la fotografía.

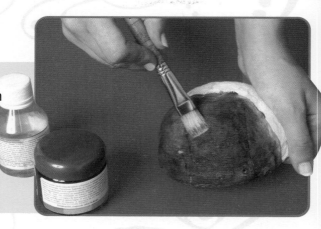

Nota

El aguarrás tiene como principal función actuar como disolvente de pinturas. Se lo utiliza tanto para diluir una medida de pintura, como para limpiarse las manos, y lavar la ropa y los pinceles luego de pintar.

6 Repetir el paso anterior en el interior de la pieza. Esperar hasta que seque todo muy bien. Si se desea, dar una o dos manos de barniz.

7 Con sumo cuidado, hacer dos perforaciones por lado con el punzón grueso. Éstas deben ser simétricamente opuestas y tener el grosor del hilo rústico.

8 Pasar el hilo rústico de manera cruzada por encima de la rama y luego en ambos extremos del cuenco.

9 Aquí tenemos otra vista del modelo terminado. Podemos poner en su interior tanto frutas secas como dulces y golosinas, a modo de decoración.

Tips prácticos para hacer papel maché

PASTA PARA PAPEL MACHÉ

Materiales
- 1 rollo de "Tissue" o "Kleenex".
- 250 cc de adhesivo de empapelar.
- 75 cc de enduido plástico (pasta muro o pasta mural).
- 140 cc de tiza en polvo.
- 25 cc de aceite de lino.

Realización

• Cortar el rollo de papel hoja por hoja, sumergirlo en agua y dejarlo reposar veinticuatro horas. Colar la pasta y colocarla en una olla con agua. Hervir durante treinta minutos, revolviendo con cuchara de madera. Dejar enfriar y escurrir bien. Luego, pasar por procesadora o deshacerlo bien.

• Agregar el adhesivo de empapelar, el enduido plástico, la tiza en polvo y el aceite de lino. Mezclar bien y luego amasar hasta unir todo. En el caso de que no vaya a ser usada en el momento, colocar la pasta obtenida en una bolsa de nailon y llevarla al refrigerador. En el momento de utilizarla, sólo hay que volver a amasar la cantidad que se necesite usar.

PARA LOGRAR UNA BUENA PASTA DE PAPEL

Si la masa está demasiado líquida, agregar toda la tiza necesaria para compensarlo, lógicamente dentro de ciertas proporciones, de lo contrario, se perderá la presencia de la pulpa en la preparación. Si la masa quedó muy dura, agregar engrudo o cola.

PARA FORRAR SUPERFICIES

Colocar la masa entre dos bolsas de nailon y estirarla con un palote. La misma técnica puede ser útil siempre que se necesite lograr láminas delgadas y uniformes de pasta.

PATINADO

La pátina es una técnica ampliamente utilizada para decorar y reciclar todo tipo de superficies. Madera, cerámica, metal, yeso, cemento, son sólo algunos de los materiales que se pueden restaurar con este método.

Pero, ¿qué es la pátina?
Es la apariencia que toman determinados materiales a raíz de factores como la humedad o el paso del tiempo, por ejemplo, una estatua de bronce que se encuentra a la intemperie. Entonces, cuando patinamos un objeto, le estamos aplicando una serie de procedimientos para que éste tome un aspecto distinto del original. Renovar, añejar, imitar otra textura, unificar... son algunos de los efectos que se pueden lograr.

SERVILLETEROS DE FIESTA

Un toque de elegancia en nuestra mesa para celebrar las fiestas de Fin de Año.

SERVILLETEROS DE FIESTA

Materiales

- Piezas de yeso, a elección.
- Betún de Judea.
- Goma laca.
- Pinceles duros.
- Oro en polvo o pintura dorada.
- Cemento de contacto.
- Trapo de algodón.
- 2 argollas de madera.
- Lazo o moño.
- Lija.

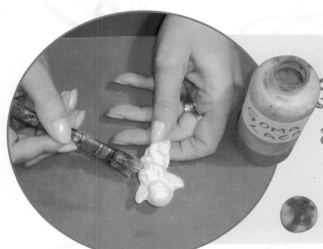

1 Pasar dos manos de goma laca a las piezas de yeso, utilizando los pinceles bien limpios para evitar manchar los modelos. Dejar secar entre una mano y otra mano. Luego de finalizado este paso, limpiar los pinceles con agua tibia y jabón.

2 Verificar que los pinceles estén bien limpios y secos. El siguiente paso consiste en pintar las figuras con pintura dorada. Los pinceles a utilizar serán del grosor que se considere más adecuado para que el color quede bien parejo. Luego, dejar secar. Una vez secas, dar una segunda mano si fuera necesario.

Patinado

3 Pasar betún de Judea con un trapo o con pincel y retirar rápidamente el exceso. Luego de realizado este paso, las piezas están listas para ser unidas a las argollas, que pasaremos a preparar en el siguiente paso.

4 Para preparar las argollas, es necesario lijar bien la superficie de los mismos. Una vez eliminadas todas las asperezas de la madera, verificar que las argollas queden libres de polvo y pintarlas con betún de Judea. Dejar secar el tiempo suficiente para poder pasar al siguiente paso.

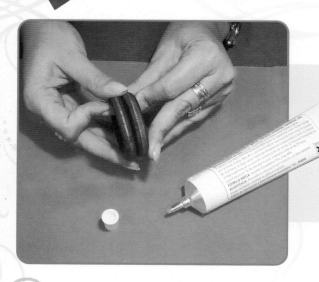

5 Pegar entre sí dos argollas de madera con cemento de contacto. Si se prefiere, una vez seco el adhesivo, reforzar el pegado agregando cemento de contacto en la unión de ambas.

SERVILLETEROS DE FIESTA

6 Pintar las argollas con el oro en polvo o la pintura dorada, de manera pareja y con mucha prolijidad, evitando que queden lugares sin pintura. Si se considera necesario se puede dar una segunda mano. Esto es para lograr una mejor combinación de tonos con las piezas a adosar.

Nota

Si se realizan varios servilleteros se puede poner un lazo rojo intercalado con otro verde.

7 Tomar el listón seleccionado y cortar la cantidad de trozos necesarios, de acuerdo con la cantidad de servilleteros que se prepararon. Luego, hacer un lazo con cada listón de color rojo y de color verde. Pegarlos con cemento de contacto en cada servilletero. Sostener unos segundos hasta que estén bien firmes. Dejar secar bien.

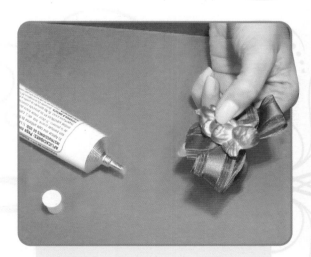

8 Una vez secos, pegar cada pieza de yeso con cemento de contacto sobre cada lazo.
Así queda completo nuestro trabajo.

UN TIERNO NACIMIENTO

Siempre es agradable representar un nacimiento bajo el árbol de Navidad, y cuánto mejor si es fruto de nuestro trabajo.

UN TIERNO NACIMIENTO

Materiales

- 3 piezas de yeso (niñito Jesús, María y José).
- Lija.
- Goma laca.
- Paño de algodón.
- Betún de Judea.
- Pinceles.
- Barniz opaco.
- Hojas de periódico.
- Thinner.

1 Lijar cada una de las piezas para eliminar todas las asperezas y burbujas de aire que puedan tener. Este paso se debe realizar con lija fina. Se debe tener mucho cuidado de no borrar los rasgos del yeso.

2 Con un pincel, eliminar los restos de polvillo de todas las piezas. Luego, pasar un trapo bien seco para finalizar este paso. Esto debe hacerse para que al pintar no se manchen las figuras. A continuación, sellar las tres piezas con goma laca y pincel. Darles dos o tres manos y dejar secar bien entre cada una de ellas. Asi podremos darle color a las piezas.

Patinado

3 Mojar el pincel en el betún de Judea y descargar en el periódico hasta que quede casi seco. Terminado este paso, arrojar las hojas de periódico al cesto de residuos, para evitar manchar el trabajo o los muebles.

4 Pintar cada una de las figuras muy suavemente, cargando el betún en los pliegues, para que queden más oscuros. En esta oportunidad, se aplica el betún para pintar las piezas. Por la porosidad característica del yeso, el betún secará en poco tiempo, por lo que se debe utilizar en forma rápida y prolija. Ya lista la pieza, dejar secar muy bien.

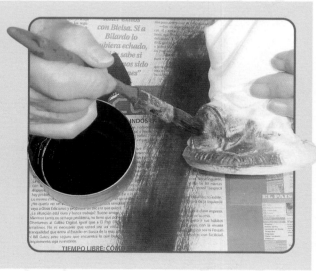

5 Ante cualquier dificultad que se presente al pintar con betún, pasar un paño con thinner hasta lograr el tono deseado. Una vez que las piezas estén listas, podemos dar la mano final de pintura, como veremos en el siguiente paso.

UN TIERNO NACIMIENTO

 6 Pasar sobre el trabajo terminado una mano de barniz para sellar. Con esto se asegura que el color y el tono que elegimos se mantenga mucho tiempo.

Nota

- En algunos países, los listones se conocen con el nombre de cintas.
- El papel kraft se conoce también como papel madera.

CANDELERO PATINADO

Un pequeño detalle de luz y color para esos momentos de tranquilidad y relajación que todos necesitamos.

CANDELERO PATINADO

Materiales

- Candelero de hierro.
- Pintura acrílica negra.
- Cera.
- Pincel.
- Tijera.
- Vela.
- Cemento de contacto.
- Hilo.
- Listón o cinta de rafia, papel o tela.
- Ramitos de mijo o panizo.

1 Cubrir el candelero con pintura acrílica negra. Tomar un paño de algodón y mojarlo en la cera. En este caso se usó cera dorada, pero puede ser de cualquier otro color. Pasar el paño en forma despareja, haciendo toques en bordes, detalles, etcétera.

2 Formar ramitos con el mijo, atarlos con hilo y pegarlos con cemento de contacto alrededor de la base de la vela hasta cubrirla toda. Hacer un lazo con el listón seleccionado y colocarlo en el pie del candelero.

MARCO TEXTURADO

¿**P**or qué no reciclar botones en desuso y aprovecharlos para decorar nuestras fotografías? Y si no los tenemos... ¡a conseguirlos y pintarlos ya!

MARCO TEXTURADO

Materiales

- Botones de madera (2 tamaños).
- Marco plástico.
- Hojas de periódico.
- Papel kraft o madera.
- Adhesivo de empapelar.
- Yeso.
- Papel artesanal.
- Pinceles: cerda chato N.° 8, sintético chato N.° 6, liner N.° 5.
- Acrílicos: turquesa, terracota, amarillo, naranja, rojo, marrón, mantequilla, negro.
- Hilo rústico.
- Lija.
- Pegamento universal.
- Barniz al agua mate.

1 El primer paso consiste en lijar los botones. Una vez retirada la pintura original, limpiarlos bien y eliminar los restos de polvo con un trapo o un pincel duro. Marcarles el diseño con lápiz. Los botones nuevos no necesitarán tanto lijado como los usados que se van a reciclar.

2 Luego, con acrílico color mantequilla, pintar la mitad del rombo según el diseño elegido. Dejar secar. Pintar la otra mitad con naranja. Los colores sugeridos pueden variar de acuerdo con el gusto personal o en relación con los colores del lugar que se desea adornar.

Patinado

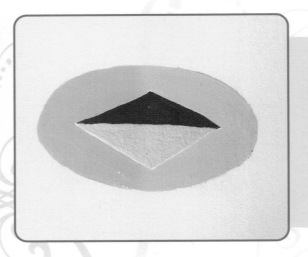

3 Una vez seco el rombo interno, pintar con acrílico turquesa el círculo exterior. Dejar secar muy bien entre un paso y otro, de lo contrario, las pinturas de distintos colores pueden mezclarse entre sí.

4 En este paso, con acrílico negro a punto tinta (disuelto con agua) y pincel liner, marcar el recuadro del rombo, con trazos bien parejos como se muestra en la fotografía. Para pintar otros diseños se varía el dibujo, pero siempre se respetarán los mismos pasos.

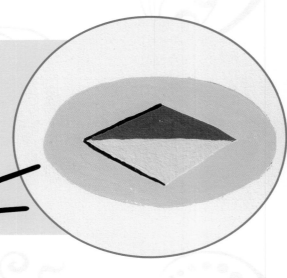

5 A continuación tenemos que preparar el marco de la siguiente forma: sobre el marco de plástico aplicar adhesivo de empapelar. Cortar a mano el papel de periódico y realizar la cortapesta, una con periódico y otra con papel kraft. Dejar secar.

MARCO TEXTURADO

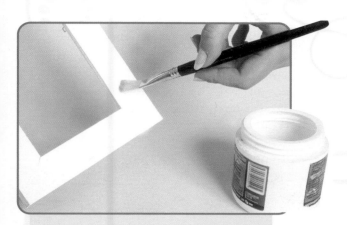

6 Sobre el marco, aplicar una mano de yeso con el pincel de cerda chato. Luego dejar secar. Al trabajar con yeso tenemos que tener en cuenta su rápido secado.

Nota

Para realizar esta artesanía es posible utilizar como base varios materiales. Pueden emplearse marcos ya fabricados de madera, plástico, metal y cartón, o también pueden realizarse en forma artesanal.

7 Cortar a mano en trozos pequeños el papel artesanal que previamente seleccionamos teniendo en cuenta el color de los botones ya pintados. Pegarlos sobre el marco hasta cubrir bien toda la superficie. Se debe ir moldeando con la ayuda de un pincel, de manera que no queden puntas salidas, así evitaremos que se despeguen posteriormente. Dejar secar muy bien.

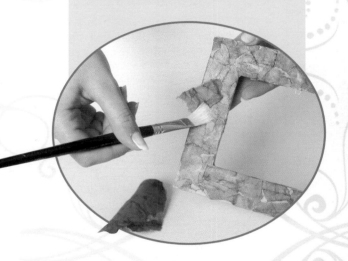

8 El siguiente paso es aplicar dos manos de barniz al agua mate para proteger el papel artesanal y mantener su textura opaca. Entre una mano y otra se debe dejar secar.

MARCO TEXTURADO

9 Pasar hilo rústico a través de los orificios de los botones. Hacer un pequeño nudo bien apretado y tratando de dejarlo lo más aplastado posible.
Pegar por detrás sobre el marco.

10 Una vez adheridos los botones al marco, y combinando los tamaños, hacer una marca a una misma altura en ambos lados. Dar varias vueltas con el mismo hilo sobre ambos lados marcados enfrentados del marco del cuadro, cuidando que el detalle tenga el mismo ancho en cada uno.

METALES

El arte de trabajar los metales para resaltar su relieve fue practicado por numerosas culturas a lo largo y ancho del mundo.
Sus aplicaciones combinan la escultura, el dibujo y la pintura. El aspecto más importante es lograr una buena textura en el trabajo, dándole volumen, alto y bajo relieve, perfiles o planchados bien definidos, que resalten el diseño elegido.

La ductilidad del metal permite el repujado, y la combinación con distintos materiales, como otros metales, cueros, cerámicas, vidrios, espejos, bizcochos o yesos, y maderas, entre otros, hace posible su utilización en adornos, regalos, cuadros, albúmes y floreros, por citar sólo algunos de los objetos decorativos que se pueden realizar con esta técnica.

ÁRBOL LUMINOSO

Un árbol de Navidad ideal para decorar nuestro hogar utilizando retazos de metal.

ÁRBOL LUMINOSO

Materiales

- Retazos de metal.
- Cartulina.
- Listón o cinta de raso rojo, 3 m.
- Diamantinas blancas (flores pequeñas).
- Cemento de contacto.
- Cartón para la estrella.
- Base de madera de circunferencia

mayor a la base del cono (16 cm en este caso).
- Pintura acrílica verde.
- Pincel.
- Hilo.
- Cinta de enmascarar.
- Musgo.
- Ruedita marcadora.
- Tijera.

1 Hacer un cono de cartulina de 25 cm de alto y 12 cm de circunferencia en la base, tomando como referencia el desarrollo del cono que figura en los patrones.

Ver molde en pág. 264

2 Forrar el cono por completo con pequeños pedazos de papel de metal. Pegarlos con cemento de contacto en distintas posiciones. En este paso se debe tener mucho cuidado, ya que si el adhesivo se derrama, manchará el trabajo. Muchas veces es útil la ayuda de un cuchillo para facilitar esta tarea. Dejar secar.

Metales

3 Hacer pequeños rollos de metal con los retazos que sobraron del paso anterior.
En este modelo se muestran en color plateado, pero otra opción puede ser hacerlos en dorado, o el color que se prefiera.

4 Utilizando cemento de contacto, pegar los rollos alrededor del cono, hasta forrarlo todo, sin importar el orden.
En este paso se debe tener paciencia, ya que por las características del papel, muchas veces puede tardar más tiempo en secar.

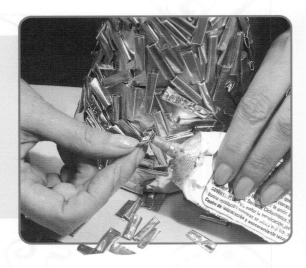

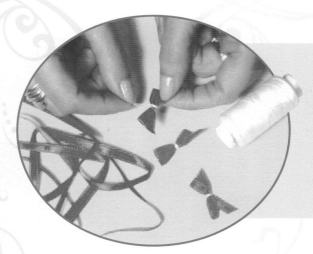

5 Para completar el árbol, preparar el siguiente adorno: realizar pequeños lazos o moños con listones rojos y atarlos con hilo del color del árbol o del listón, según se prefiera.

ÁRBOL LUMINOSO

6 Pegar con cemento de contacto una diamantina blanca en el centro de cada lazo. Esto le dará un importante detalle a la terminación. Dejar secar por completo antes de continuar.

7 Una vez que estén armados, pegar en el cono los lazos con cemento de contacto, como se muestra en la fotografía.

Nota

Se puede sustituir la estrella por un lazo realizado con un listón o cinta, o con papel grueso.

8 Este paso consiste en pintar la base de madera en color verde, dando las manos necesarias para lograr un color parejo y sin vetas. Dejar secar bien.

ÁRBOL LUMINOSO

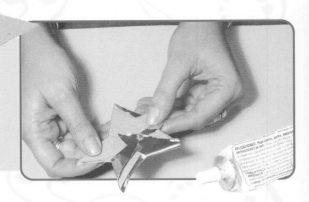

9 Dibujar una estrella sobre cartón y recortarla. Forrarla con metal de ambos lados. Una variante puede ser forrar cada lado con un color distinto.

10 Hacer sobre el metal con la ruedita marcadora una textura a la estrella. Si bien la estrella es el adorno tradicional de la punta del árbol, ésta se puede reemplazar por otro objeto.

11 Pegar el árbol en la base de madera y luego cubrir ésta con musgo.

12 Para terminar, colocar la estrella en la punta del árbol, adhiriéndola con cemento de contacto. Dejar secar.

APLIQUE PARA BOTELLA

Convertimos una botella de color en una llamativa licorera. Con la misma técnica podemos aplicar metal sobre vasos, jarras y cualquier otra superficie de vidrio.

Metales

Materiales

- Botella de vidrio.
- Plancha de goma eva.
- Algodón.
- Aluminio o estaño.
- Bolígrafo sin tinta.
- Esfumino.
- Tijera.
- Plata vieja.
- Escobetilla o esponja de aluminio.
- Enduido (pasta muro o pasta mural).
- Espátula.
- Cemento de contacto transparente.

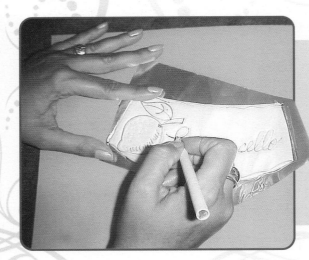

1 Una vez seleccionado el diseño que se va a utilizar, transferir el dibujo de la plantilla al metal. Esto debe hacerse con un bolígrafo sin tinta. Marcar el contorno del dibujo, apoyando la plancha de aluminio sobre una superficie de goma eva, que permitirá darle relieve al trazo.

2 Dar vuelta la plancha de metal y por el revés, trabajando siempre sobre la goma eva, darle volumen con el esfumino. Este trabajo debe hacerse en forma delicada, ya que si se presiona o se raya el metal, será necesario alisarlo nuevamente.

APLIQUE PARA BOTELLA

3 Dar vuelta el trabajo nuevamente y colocarlo sobre una superficie dura y libre de poros. Alisar por el frente las partes del dibujo que no han sido trabajadas. Si fuese necesario, remarcar nuevamente el diseño.

4 Recortar el metal con la tijera, siguiendo con atención los bordes contorneados del diseño.
Este paso requiere de mucha prolijidad, porque el uso incorrecto de la tijera puede marcar los bordes del recorte. Si esto ocurre, emprolijar los mismos antes de continuar con el siguiente paso. Una variante es que los bordes del aplique sean en línea recta, dándole, en lugar de un toque rústico, otro más prolijo y formal.

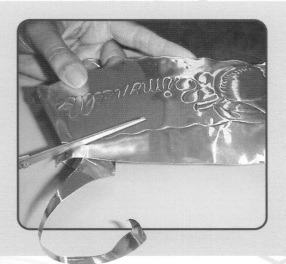

5 Colocar el diseño sobre la botella haciendo presión con el metal sobre el vidrio para que la lámina adquiera su forma.
Una vez moldeado el metal, se puede continuar con el próximo paso.

Metales

6 En el reverso del trabajo, rellenar con enduido (pasta muro o pasta mural) con la ayuda de una espátula los lugares que quedarán en relieve. Se debe prestar atención al grosor de la capa de enduido, ya que no debe quedar ni muy gruesa ni muy fina.

Notas

Las características del enduido, llamado también pasta muro o pasta mural (pasta que endurece y seca para el relleno y reparación de paredes dañadas), hacen que sea apto también para el relleno de distintas artesanías.

7 Limpiar bien la botella con un algodón embebido en alcohol. Pegar el diseño con cemento de contacto, ejerciendo un poco de presión sobre toda la superficie, para lograr que se adhiera en forma pareja. Comprobar que la lámina haya quedado totalmente pegada y fija en la botella. Dejar secar bien.

8 Aplicar plata vieja en las letras y en el dibujo de toda la superficie de metal. Esto ayudará a la terminación de la obra.

APLIQUE PARA BOTELLA

9 Una vez verificado que la mano de pintura color plata vieja esté bien seca, pasar una escobetilla o esponja de aluminio fina para resaltar el fondo y dar un efecto esmerilado. Ya está lista la botella con el aplique de metal diseñado.

Pátinas

- Si no se encuentra plata vieja para patinar, se puede sustituir por tinta china, que se aplica sobre el metal con un pincel e inmediatamente se trapea para que no queden manchas o gotas. La idea es que para realzar el trabajo quede tinta en las hendiduras.

- Otra opción es utilizar tinta negra de zapatos, que se aplica sobre el metal con pincel. Se debe retirar el exceso con lustra metal, dejando siempre tinta en las hendiduras.

CAJA ENSUEÑO

Una delicada caja pintada de azul con aplique patinado de resina y adornada con una guarda de metal, que es ideal para guardar bombones y otros dulces.

CAJA ENSUEÑO

Materiales

- Caja de madera.
- Pintura acrílica color azul claro, o pintura al agua, color a elección.
- Pincel de marta fino.
- Aplique de resina.
- Goma laca.
- Polvo de aluminio.
- Polvo de grafito.

- Cemento de contacto.
- Cola vinílica.
- Tapa de refresco.
- Pincel.
- Tira de metal (ancho a elección).
- Bolígrafo sin tinta.

1 Lijar toda la caja, eliminando impurezas e inclusive pintura antigua (si la tuviera). Retirar con un paño seco los restos de polvillo. Pintar la caja con el color seleccionado. En este modelo es azul claro. Dejar secar bien. Aplicar una segunda mano para eliminar vetas y emparejar el color.

2 En una tapa de refresco, pues se necesita poca cantidad, preparar un poco de polvo de aluminio con una pizca de polvo de grafito para oscurecer el tono, y un poco de goma laca para homogeneizar. Pintar el aplique de resina con esta preparación, utilizando un pincel fino. Dejar secar.

Metales

3 Con la ayuda de una regla o de una cinta métrica, medir el contorno de la caja y cortar la tira de metal unos 2 cm más larga, para poder trabajar con comodidad. Una vez pegada, recortar el sobrante y emparejar. Sobre ella, realizar un guarda con el bolígrafo y, si se desea hacer algún fondo, se pueden marcar puntos pequeños o rayas, o pasar una ruedita marcadora.

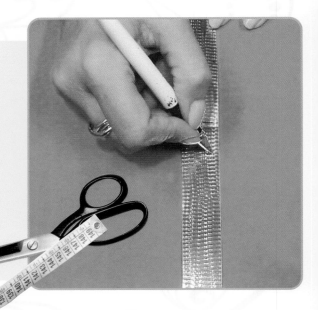

4 Luego, pegar con cemento de contacto el aplique de resina en el centro de la tapa de la caja. Por otro lado, pegar la guarda de metal alrededor de la base de la caja, haciendo presión en cada una de las esquinas para marcar los ángulos, de manera que la guarda quede bien adherida. Una manera de evitar la desprolijidad es marcar la altura alrededor de la base y trazar una línea recta que servirá de guía.

Otra opción

Si se desea un acabado más oscuro se pueden patinar el aplique y la tira con tinta china.

5 Finalmente, para proteger todo el trabajo, aplicar una mano de cola vinílica, que además le da un bonito acabado y un efecto brilloso. También puede darse la terminación con una o dos manos de barniz mate. Dejar secar bien entre una y otra mano. Así queda terminada esta hermosa caja.

Nota

En este trabajo no se incluyen plantillas para el dibujo a repujar, ya que las posibilidades quedan abiertas a la imaginación y creatividad.

CANDELERO FESTIVO

Este elegante candelero es un elemento decorativo que realza las mesas, tanto en las fiestas navideñas como en otras celebraciones.

CANDELERO FESTIVO

Materiales

- Candelero de hierro pulido.
- Vela perfumada.
- Barro de floristería o arcilla.
- Follaje verde manzana.
- Alambre.
- Cemento de contacto.
- Hilo.
- Tijera.
- Pinza o alicate.
- Tapa de frasco.
- Listón o cinta color plata.

1 En el lugar donde se colocará la vela, pegar con cemento de contacto una tapa de frasco que debe sobresalir aproximadamente 2 cm, alrededor del candelero. Tratar de que quede bien en el centro. Dejar secar bien.

2 Hacer una esfera de barro de floristería que tenga entre 3 y 4 cm de diámetro. Aplanarla y pegarla a la tapa con cemento de contacto, haciendo presión contra ésta de manera que cubra toda la superficie, pero que no desborde hacia los lados.

Metales

3 Introducir la vela en el centro del barro de floristería previamente adherido a la tapa. Hacer presión con ella hasta tocar la tapa. Retirar la vela y colocar cemento de contacto en el agujero y en la base de la vela. Pegar ésta y dejar secar bien.

4 Comenzar a pinchar en la parte baja barro de floristería a modo de base, el follaje verde manzana. Completar toda la vuelta dejando muy juntas una hoja de otra. El tallo debe quedar bien oculto en la base, para asegurar así su adhesión.

5 En la parte alta y cerca de la vela, colocar las hojas color verde manzana, para cubrir todo el contorno y darle volumen. Cuanto mayor sea la cantidad de hojas que se coloquen, mayor será el tupido, como se puede observar en la fotografía. Para hacer el trabajo con más delicadeza y sin romper las hojas colocadas, se puede contar con la ayuda de una pinza o alicate.

CANDELERO FESTIVO

6 Realizar un lazo o moño plateado y colocarlo en el arreglo para darle terminación.

Nota

Pasada la Navidad, se sacan el moño y los otros elementos afines a ella y se puede utilizar para otras ocasiones.

Tips prácticos para repujar metales

PARA LOS METALES

Se debe evitar trabajar con la cantidad justa de metal. No es conveniente realizar dibujos muy pegados al borde, ya que el metal se estira luego del repujado. Siempre es mejor dejar algunos centímetros de margen. Los recortes que sobren se pueden guardar para hacer esquineros, apliques o guardas.

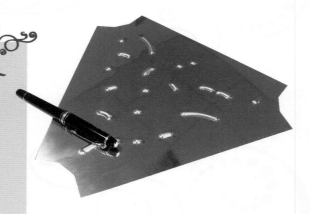

PARA EL USO DEL ESFUMINO

Es conveniente no ejercer demasiada presión con el esfumino. Se debe pasar sobre el metal como si fuera un pincel, repitiendo varias veces el trazo en sentido circular. En el caso de que el esfumino sea nuevo y tenga mucha punta, para no rayar el metal se debe tratar de usar más de costado.

El esfumino también se puede utilizar para aplanar el metal y eliminar las rayas que se produzcan sobre un trabajo.

PARA LOS DISEÑOS

En todos los casos verificar que el dibujo haya sido bien calcado y que no falte ningún trazo.

Si se trabajan diseños con números, nombres o caras, se debe invertir el dibujo para que luego se vea correctamente. Si se utiliza un bolígrafo que tiene tinta, para evitar que el trabajo quede manchado se limpia el metal con un paño embebido en alcohol.

OTROS MATERIALES

En estas páginas ofrecemos
una variada combinación
de técnicas y materiales
que permiten reciclar objetos
en desuso y darles una utilización
completamente novedosa
para innovar y otorgar un renovado
toque de frescura a la decoración
de nuestro hogar, haciéndolo
más confortable.

Presentamos aquí, trabajos que
combinan el reciclado de distintos
materiales con pátinas, repujados
de metales, porcelana
fría y flores secas.
El arte radica en utilizar
con imaginación objetos,
texturas y diseños hechos
artesanalmente, que se convierten
en esos pequeños detalles
que realzan cada ambiente
de nuestra casa.

INDICADORES
DE SITIO

Pequeños arreglos con corteza de eucalipto, para distinguir a cada comensal con un detalle especial.

INDICADORES DE SITIO

Materiales

- Corteza seca de eucalipto.
- Alambre fino.
- Tijera.
- Pinza o alicate.
- Listón cinta rojo y navideño.
- Diamantinas.
- Hojas.
- Tarjetas pequeñas.
- Hilo de costura o hilo de nailon (tanza).

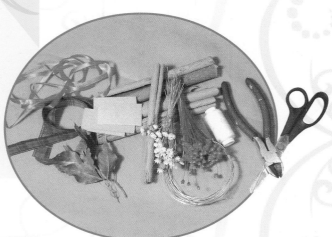

1 El primer paso consiste en juntar cortezas de eucalipto, que suelen encontrarse al pie de esos árboles. Limpiarlas con un paño seco, tal como se ve en la fotografía. Verificar que estén bien secas. Si están húmedas es conveniente colocarlas al sol hasta que se sequen totalmente.

2 Tomar tres o cuatro cortezas que tengan la misma medida y unirlas con varias vueltas de hilo o alambre fino. Si bien deben quedar firme y sin movilidad, no hay que hacer demasiada presión al atarlas, para evitar que se rompan. Calcular la cantidad de ramos de corteza de acuerdo con la cantidad de comensales.

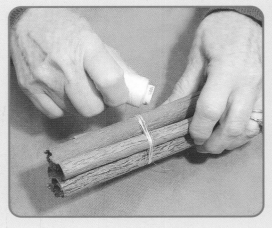

Otros materiales

3 Luego de formar la cantidad de paquetes necesarios, atar en cada uno un listón navideño y hacer un lazo o moño. Tanto el listón como el lazo deben ser importantes pero no cubrir por completo los atados.

4 Sobre el lazo (moño) de listón navideño (cinta navideña) realizar otro con un listón más fino. En este caso se utiliza en color rojo, pero una buena combinación puede ser en dorado. En caso de que no quede bien parejo, se le puede dar unas puntadas escondidas al lazo más fino, logrando así enderezarlo.

5 Por otro lado, hacer ramos pequeños de diamantinas para cada uno de los paquetes y atarlos con hilo. Se puede utilizar hilo de un color que resalte las diamantinas o un hilo de nailon o tanza transparente que pase inadvertido.

6 Añadir hojas verdes a cada ramo de diamantinas y pegar todo con cemento de contacto en el centro del lazo, de manera que las hojas queden en la parte porterior de las diamantinas. Dejar secar bien.

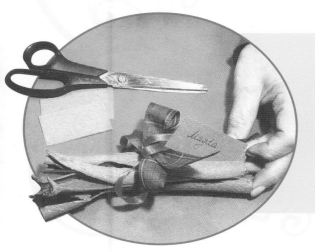

7 Enganchada entre las cortezas, colocar una tarjeta pequeña con el nombre del invitado en cada uno de los indicadores armados y ponerlos sobre la mesa, en el lugar asignado para cada comensal.

PORTAMENSAJES DE CORCHO

Una manera ordenada y agradable de dejar nuestros mensajes y recordatorios importantes.

PORTAMENSAJES DE CORCHO

Materiales

- Madera de 21 x 28 cm y 2 cm de espesor.
- Plancha de corcho de 15 x 21 cm.
- Lija.
- Nogalina o betún de Judea.
- Cemento de contacto.
- Tijera.
- Martillo.
- Pincel.
- Barniz en aerosol.
- Musgo.
- Hojas verdes.
- Variedad de semillas pequeñas.
- Flores secas.

1 Lijar la tabla de ambos lados, hasta que quede bien lisa y sin asperezas. Limpiar los restos de polvo de la madera con un paño bien seco. Luego, clavar en la parte de atrás y en el centro de la tabla, a una distancia de 2 cm del borde aproximadamente, el pequeño gancho para colgar.

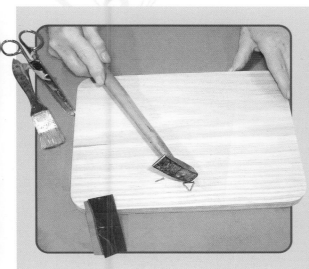

2 Una vez libre de impurezas, pintar la tabla del frente y del revés con nogalina o betún de Judea. Esto se hace a modo de teñido de la madera. Dejar secar bien. El tiempo de secado promedio es de veinticinco y treinta minutos.

Otros materiales

3 Sobre el derecho de la tabla, pegar con cemento de contacto la plancha de corcho cortada a la medida del alto de la tabla y, aproximadamente, de la mitad de su ancho. La forma del corcho dependerá del gusto personal.

4 Marcar un rectángulo en el área libre de la madera y pegar en forma pareja sobre él, musgo tapando toda la superficie dibujada en la tabla.

Sugerencia

La forma del corcho puede ser circular o rectangular.

5 Pegar con cemento de contacto las hojas verdes sobre la madera, todo alrededor del musgo, o sólo sobre los lados superior e inferior. Arriba de las hojas, ir pegando las flores secas, de manera que quede el tallo escondido entre las hojas y el musgo. Éstas se pueden pegar en pequeños ramos o separadas entre sí, alternando colores y tamaños.

PORTAMENSAJES DE CORCHO

6 Encima del musgo, pegar las semillas en conjuntos, utilizando la mayor variedad posible de ellas. Cubrir toda la superficie. Finalmente, aplicar el barniz en aerosol sobre todo el arreglo. Dejar secar bien y de ser necesario dar una segunda mano.

VELAS CORAZÓN

Ofrecemos nuestro corazón en una romántica velada. Un delicado y sencillo arreglo puede expresar nuestros sentimientos más profundos.

VELAS CORAZÓN

Materiales

- Parafina.
- Pigmentos: amarillo, naranja, pardo.
- Jarro y plato enlozados.
- Molde.
- Varilla.
- Guía de orificios.
- Pabilo.
- Desmoldante.
- Masilla o plasticina (plastilina).
- Hilo de algodón rústico.
- Cuentas de madera.
- Pegamento universal.
- Cepillo de alambre.
- Papel encerado (papel manteca).
- Tijera.

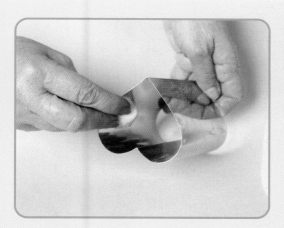

1 Limpiar bien el molde, librándolo de polvo o restos de velas anteriores. Aplicar líquido desmoldante en el interior del molde, con un algodón o paño. Untar generosamente la varilla de metal. Es muy importante este paso para asegurarnos que, al sacar la vela terminada, no se pegue ni se rompa.

2 Sellar la base del molde con masilla o plasticina (plastilina). Sobre un plato enlozado, colocar el papel encerado y apoyar allí el molde. Colocar la varilla con el pabilo, apoyando la guía de orificios en la parte superior del molde. Tratar de que quede en el centro.

Otros materiales

3 Derretir parafina a baño de María en el jarro enlozado. La cantidad dependerá del tamaño de las velas que se deseen realizar. Retirar del fuego, colocar el pigmento seleccionado y mezclar bien. Es importante preparar la cantidad suficiente de material, ya que de lo contrario será muy difícil poder preparar nuevamente el mismo tono. La temperatura debe estar entre 75 y 85 °C.

4 Luego, verter cuidadosamente la parafina derretida en el interior del molde tratando de no salpicar el borde. Antes de hacer esto, verificar que el plato esté apoyado sobre una superficie firme, ya que en caso de derramarse la parafina puede ocasionar una quemadura.

5 Al comenzar a solidificar la parafina, rotar la varilla sobre su eje para que no se pegue. Cuando la parafina está compacta pero blanda, se forma una depresión en el centro. Por eso hay que volver a rellenar. Antes de que seque por completo, quitar la varilla metálica, dejando sólo el pabilo. Una vez seca, éste quedará totalmente adherido.

VELAS CORAZÓN

6 Dejar enfriar y verificar que el pabilo esté bien firme. Si hiciera falta, se puede colocar un tiempo en el refrigerador o nevera. Quitar la masilla colocada en la base y desmoldar haciendo presión hacia arriba sobre la parte inferior.

7 Con un cepillo de alambre pequeño, comenzar a desgastar suavemente la vela en forma horizontal para darle textura. No se debe ejercer mucha presión al hacerlo, ya que se arruinaría la vela. Limpiar los restos con un pincel seco de cerdas suaves.

8 Marcar alrededor de la vela una línea, a 2 cm de la parte superior. Hacer con la punta de un cuchillo o de un lápiz una pequeña hendidura sobre la marca. Colocar pegamento universal en la muesca del contorno de la vela y pegar el hilo rústico. Dejar un excedente de hilo en el frente de la vela, para posteriormente atar allí las cuentas de madera. Dejar secar bien.

VELAS CORAZÓN

9 Atar las cuentas de madera haciendo un nudo entre una y otra para separarlas; en las más bajas se colocan menos cuentas, y en las más altas, mayor cantidad, combinándolas.

Nota

Si se llena el molde hasta la mitad con la parafina mezclada con un pigmento, se deja solificar y luego se agrega parafina coloreada con otro pigmento, se obtiene una vela de dos colores. También se pueden utilizar moldes con otras formas, según se elija.

Las cuentas de madera se pueden reemplazar por flores secas.

Otra variante para hacer el arreglo consiste en agregarle a la parafina unas gotas de aceites esenciales con el aroma de su preferencia.

CENCERRO

SONORO

U n detalle para colgar en la chimenea de una estufa o en la puerta principal de nuestro hogar.

Otros materiales

Materiales

- Cencerro en bizcocho o yeso.
- Sellador.
- Betún de Judea.
- Goma laca.
- Pinceles.
- Tijera.
- 1 1/2 m de listón dorado cinta dorada, de 6 ó 7 cm de ancho.
- Semillas pequeñas, diamantinas rojas y diumosa.
- Cola vinílica.
- Cinta métrica o centímetro.

1 Con una lija fina, para no arruinar la pieza, limpiar toda la superficie quitando porosidades. Eliminar el polvillo con un pincel semiduro y luego pasar un paño bien seco. Pintar el cencerro con dos o tres manos de sellador, dejando secar entre cada una de ellas.

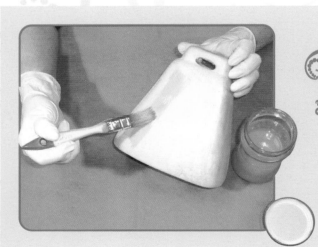

2 Una vez seco el sellador, pasar con pincel y en forma uniforme el betún de Judea. Si queda desparejo el color, pasar una segunda mano. Dejar secar. Luego, cubrir la pieza con goma laca, para dar brillo. Dejar secar totalmente.

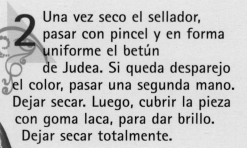

CENCERRO SONORO

3 Cortar un trozo del listón o cinta de 70 cm y reservarlo. Con el listón restante realizar un lazo o moño doble, de aproximadamente el ancho del cencerro. Cortar las puntas en diagonal. Asegurar el centro del lazo con unas pequeñas puntadas con hilo al tono, para que no se vean.

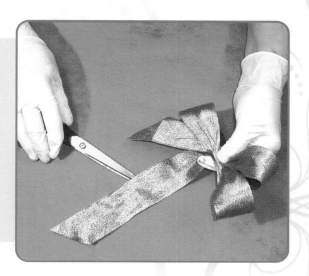

4 Pegar el lazo con cola vinílica, en la parte superior del cencerro. También puede utilizarse cemento de contacto. Dejar secar bien. Otra opción puede ser atarlo con alambre bien fino, y asegurarlo con una pinza o alicate.

5 Formar un pequeño ramo con diumosa de tamaño acorde con el lazo. Sujetarlo con hilo de coser. Colocar de manera armónica las diamantinas rojas y las pequeñas semillas, intercalando unas con otras. Pegarlas sobre el lazo con cemento de contacto. Dejar secar el pegamento.

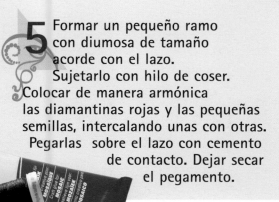

CENCERRO SONORO

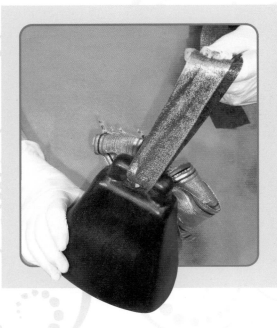

6 Finalmente, pasar el listón de 70 cm, reservado en el paso 3, por el asa del cencerro y unir en las puntas con una costura bien delicada y prolija, para luego poder colgarlo.

Se pueden utilizar diversos tonos de listones, con distintos motivos navideños, según el gusto personal.

Así se da por terminado un original adorno para nuestro hogar.

ADORNOS DE NAVIDAD

Para la Navidad y las celebraciones de Fin de Año se suelen comprar distintos ornamentos para el hogar. Nuestra propuesta es sustituir los tradicionales adornos navideños por otros, hechos con nuestras manos.

Otros materiales

Materiales

- Esferas de telgopor.
- Alambre.
- Pinza o alicate.
- Escarcha o brillantina plateada.
- Plancha de goma eva.
- Pincel fino.
- Pincel grueso.
- Enduido (pasta muro o pasta mural).
- Pintura dorada.
- Listón (cinta) o lazo.
- Pistola de silicona.
- Retazos de metal.
- Lata (no muy profunda).
- Espátula.
- Esfumino N.° 1.
- Bolígrafo sin tinta.
- Cola vinílica.

1 Hacer un gancho con el alambre e introducirlo en la esfera de telgopor con la ayuda de una pinza o alicate. Agregar cola vinílica en la unión, para que se adhiera mejor. Dejar secar bien.

2 Este paso consiste en pintar la esfera con cola vinílica, y un pincel, sosteniéndola con una pinza por el gancho ya adherido, como se muestra en la fotografía.
En el caso de que la cola vinílica sea muy espesa, se puede rebajar o diluir con unas gotas de agua, sin que pierda sus propiedades.

3 Poner la escarcha en la lata y girar la esfera para que la escarcha se adhiera bien en toda la superficie. Dejar secar.

4 Luego, apoyar los retazos de metal sobre la plancha de goma eva y dibujar con el bolígrafo estrellas de diferentes tamaños.

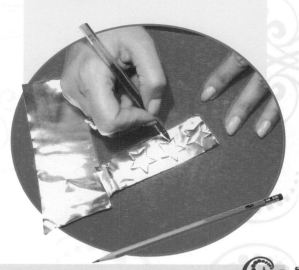

5 Repujar las estrellas con el esfumino, es decir, darles volumen sobre una superficie blanda.

La goma eva

Se llama también *foamy* (espumoso), que es el nombre utilizado en más de 30 países. El etileno acetato de vinilo, o simplemente EVA por sus siglas en inglés (*ethylene vinyl acetate*), es un material que puede combinarse con cualquier accesorio o producto de aplicación directa o superpuesta. No sustituye a ningún otro material conocido, sino que, por el contrario, los complementa. Se trata de un polímero tipo termoplástico, cuyas principales características son:

- No es dañino para el medio ambiente.
- Se puede reciclar o incinerar.
- Posee buena resistencia al clima y a los químicos.

- No es tóxico.
- Es lavable.
- Tiene baja absorción de agua.
- Es fácil de pegar.
- Es fácil de cortar.
- Se puede colorear y pintar con cualquier tipo de pintura.

Otros materiales

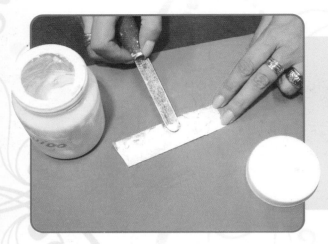

6 Esparcir por el revés el enduido (pasta muro o pasta mural) con una espátula pequeña o cuchillo. Dejar secar bien. También se puede utilizar cola vinílica, pero esta opción requiere de mayor tiempo de secado.

7 Pintar las estrellas con pintura dorada. Es necesario un pincel fino para delinear los bordes con prolijidad. Una vez seca la pintura, verificar que haya quedado pareja, de lo contrario dar una segunda mano.
Cuando todo esté bien seco, recortar las estrellas por el borde, librándolas los sobrantes del papel de metal.

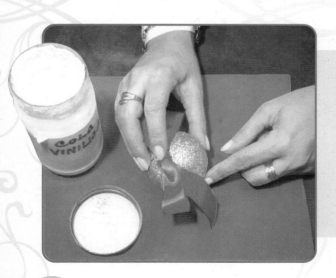

8 Con el listón seleccionado, hacer un lazo y atarlo por el gancho a la esfera. Otra alternativa es pegarlo con cola vinílica o pistola encoladora, dejando el gancho libre para colgar el adorno en el árbol de Navidad.

ADORNOS DE NAVIDAD

9 Con la pistola de silicona, pegar las estrellas de manera asimétrica sobre la esfera ya terminada. Para completar la decoración se puede pegar en el centro del lazo (moño) una diamantina o una pequeña flor.

Otra opción

Si no tiene metal, puede recortar estrellas de cartón dorado, o de otro color, y pintarlas con diferentes tonos.

COLLAR DE TELA

Con esta novedosa técnica se pueden realizar llamativos diseños de bijouterie para estar a la moda. Un toque de elegancia para todas las mujeres.

COLLAR DE TELA

Materiales

- Tela lycra (u otra con elasticidad). En este caso se trabajó con lycra de algodón. También pueden utilizarse medias de nailon.
- Cuentas de madera de diferentes tamaños, o canicas u otros materiales redondos. El material seleccionado debe tener peso ligero, para que el collar sea liviano.
- Tijera.

1 Cortar la tela que se va a utilizar para el collar. Las medidas aproximadas deben ser de 10 cm de ancho y de 130 cm de largo. Por otro lado, cortar tiras bien finas del mismo material u otro similar, bien elástico, y de otro color parecido.

2 Colocar una pequeña cuenta de madera, de las más grandes en lo que será el centro del collar. Envolver la esfera con la tela, de manera que quede totalmente cubierta. Enroscar a los lados de la misma con una vuelta de tela, como si fuera un dulce. La cuenta debe quedar bien sujeta y apretada dentro de la tela, y no soltarse.

Otros materiales

3 Tomar otra cuenta de madera de igual tamaño y colocarla al costado de la primera. Repetir el paso anterior. En caso de que la esfera quede floja, ajustarla tirando de la tela y sujetando la cuenta con el dedo índice.

4 De la tela restante que hemos cortado en finas tiras anteriormente, se deben cortar varias tiras de poca longitud, con las que sostendremos las pequeñas cuentas de madera a los lados de la del centro. Este material puede ser del mismo color o de alguno similar que combine con el resto de la tela.

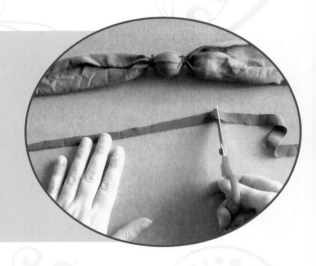

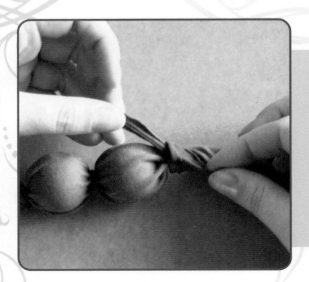

5 Envolver y atar a los lados de la segunda esfera. Queda así una cuenta al lado de la otra, con la tira en el medio. Tratar que quede escondido el nudo hecho en la tira. Para lograr esto se debe apretar bien fuerte e introducir los extremos de la tira debajo del nudo mismo.

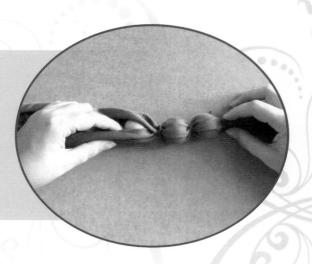

6 Colocar otra esfera grande del otro lado de la cuenta central. Repetir los pasos anteriores. De esta manera mantendremos el armado del collar siempre centrado en el largo de la tela, y evitaremos que nos quede desprolijo al terminar.

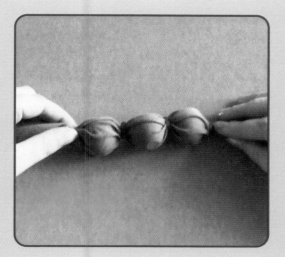

7 Antes de continuar, verificar que las tres cuentas centrales queden perfectamente sujetas y firmes. En el caso de que esto no sea así, tirar más de los lados de la tela haciendo presión sobre las esferas. Enrollar a los costados y atar. Así quedará terminada la parte principal del collar que estamos realizando.

8 Con la misma tela con que se está armando el collar, hacer un nudo de cada lado del armado central. Presionar lo más posible cada una, de forma tal que queden bien firmes. Como resultado, se obtiene un nudo seguido de tres cuentas pequeñas y la serie termina con otro nudo.

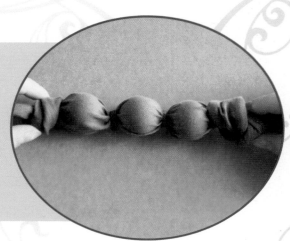

Otros materiales

9 Comenzar ahora a envolver las cuentas de madera más pequeñas en la tela, a continuación del nudo que hicimos en el paso anterior. Para esto, seguir las mismas instrucciones planteadas anteriormente.
Es bueno tener en cuenta que cuanto mayor sea la diferencia de tamaño entre las cuentas, más resaltará el detalle de la artesanía que se está realizando.

10 Repetir el paso a ambos lados de las cuentas centrales, de manera que queden tres cuentas pequeñas de cada lado del grupo central, como se puede observar en la fotografía.

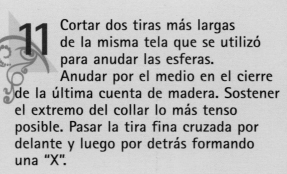

11 Cortar dos tiras más largas de la misma tela que se utilizó para anudar las esferas.
Anudar por el medio en el cierre de la última cuenta de madera. Sostener el extremo del collar lo más tenso posible. Pasar la tira fina cruzada por delante y luego por detrás formando una "X".

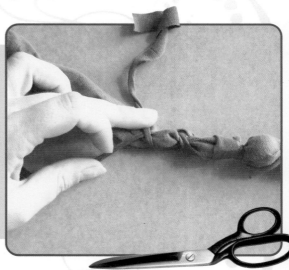

12 Repetir el paso en el otro lado del collar. La tira cruzada debe quedar firme, pero no muy ajustada, porque deformaría el collar. Cuando llegamos a la medida que nos parezca más adecuada, cerrar con un nudo el extremo, intentando que el nudo quede escondido.

13 Una vez finalizado el armado de ambos lados del collar, medir las tiras restantes y cortarlas con la misma medida. Hacerlas del largo que se desee, sólo hay que tener en cuenta que debe quedar centrado.

14 Otra opción es entrelazar en todos los enganches una tela de otro color, que combine con la que estamos utilizando. Si desea, también se pueden colocar canutillos o algún otro detalle en las tiras finas, adheridos con pequeñas puntadas. Esto dependerá del gusto personal y de la imaginación de quien realice el collar.

FANTASÍA EN EL BOSQUE

El simpático gnomo y la alegre brujita son perfectos para adornar un pastel de cumpleaños infantil.

FANTASÍA EN EL BOSQUE

Materiales

- Pasta de porcelana fría (ver receta).
- Témpera naranja flúo.
- Estecas.
- Palillos de broqueta.
- Fetas de tronco de sauce.
- Pincel redondo N.° 0.
- Esfera de telgopor N.° 3.
- Acrílicos: verde, rojo, ocre y azul.

1 Cabeza: tomar pasta de porcelana previamente coloreada con tempera naranja flúo, estirarla de manera que quede lo más delgada posible y forrar la esfera de telgopor. Introducir en la pasta, un palillo de broqueta, tal como se muestra en la fotografía.

2 Piernas y torso: realizar un cono de pasta teñida con acrílico azul y cortar por la mitad, sin llegar al borde, para formar las piernas. Modelar el torso y las piernas de manera que el gnomo quede sentado. Cortar un rectángulo de 14 cm de pasta teñida con acrílico ocre y pegar sobre el torso. Antes de que la pieza se seque, colocar la cabeza introduciendo el palillo de broqueta y centrado en la parte superior del modelado realizado para el torso.

Otros materiales

3 Brazos: hacer dos rollos con la pasta de porcelana y, con una esteca, marcar dos pliegues.
Manos: hacer un cono pequeño, presionar en un extremo, realizar un corte para formar el pulgar, y pegar a los brazos.

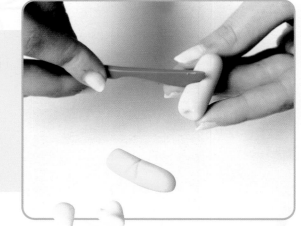

4 Zapatos: con pasta negra hacer un cono, afinar bien las puntas, ahuecar los extremos con un bolillo y, finalmente, pegar a las piernas.

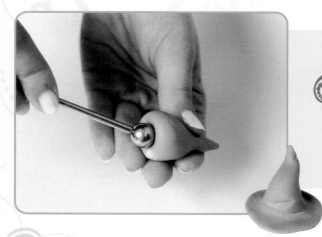

5 Sombrero: hacer un cono y trabajarlo con los dedos para realizar el ala, dando un pequeño movimiento para que no quede rígido; modelar la parte de la copa para que forme una especie de "S" abierta.

FANTASÍA EN EL BOSQUE

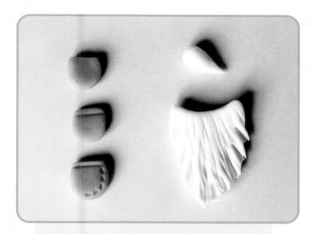

6 Estirar y cortar dos rectángulos pequeños de pasta; redondear en la base y marcar con estecas unas líneas como pespuntes.

Barba: cortar un triángulo, y marcarlo con esteca simulando cabellos.

Bigote: se realiza con dos conos.

Cejas: se hacen con dos conos más pequeños que los anteriores.

7 Detalles: cortar un rectángulo pequeño para realizar una traba y pegar en el saco.

Parches en el sombrero: un rombo pespunteado y un pequeño corazón. Realizar la carretilla y las piedritas.

Ojos: con pincel redondo N.° 0 hacer dos pequeñas comas en negro y un puntito blanco para dar luz.

Cartel: cortar un rectángulo y dejar secar la pasta sobre un pequeño rollo de papel de aluminio; hacer botones pequeños y un corazón.

Pasta de porcelana fría

Ingredientes

- 250 g de cola vinílica.
- 400 g de fécula de maíz.
- 1 cucharada de vaselina líquida.
- 1 cucharada de vinagre blanco o jugo de limón.
- 1 cucharada de formol (adquirir en farmacias).

Realización

- En una sartén de teflón colocar la cola vinílica, agregarle la fécula de maíz y revolver bien con una cuchara de madera. Agregar la vaselina, el vinagre o jugo de limón y llevar a fuego, revolviendo hasta que la preparación se desprenda de la sartén (más o menos entre 5 y 10 minutos).
- Retirar del fuego, volcar sobre la mesada y añadir el formol. Amasar bien hasta que la masa esté fría. Si no se usa en el momento, guardar en bolsa de nailon y frasco de vidrio fuera del refrigerador.
- Verificar en alrededor de dos horas. Si la masa transpiró, cambiar la bolsita. Cuando se vaya a utilizar, se deberá amasar un poco previamente.

CAJA FANTASÍA

Una sencilla caja se puede convertir en algo especial, combinando imaginación y buen gusto.

CAJA FANTASÍA

Materiales

- Caja redonda.
- Látex blanco, verde lima, neotemple amarillo.
- Acrílicos: azul francés, magenta, blanco perlado.
- Pinceles: sintético chato de 1.5", cerda chata N.° 8, liner.
- Cinta de enmascarar.
- Goma laca.
- Purpurina oro.
- Marcador color oro de punta extra fina.
- Cemento de contacto.

1 Lijar la superficie de la caja, con una lija fina, para eliminar asperezas y suciedad. Con un cepillo o trapo seco eliminar los restos de polvillo. Aplicar una mano de sellador a toda la pieza. Dejar secar.

2 Una vez seco, pasar una mano de látex blanco por el interior y el exterior de la tapa y de la base de la caja. Dejar secar bien y pasar una segunda mano. Dejar secar totalmente antes de continuar.

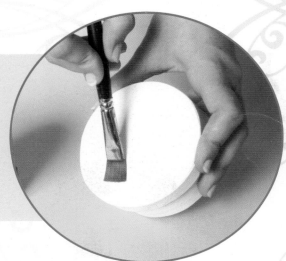

Otros materiales

3 Poncear con pincel de cerda y acrílico neotemple amarillo el interior de la base y de la tapa. Al terminar este paso de pintura, limpiar los pinceles como se indica en la página 118.

4 En un pequeño recipiente, que puede ser una tapa de refresco, colocar unas gotas de azul francés a punto tinta y tocar con la yema de los dedos. Con ellos, poncear el interior de ambas partes de la caja. Luego repetir el procedimiento con el acrílico magenta. Los colores seleccionados pueden ser reemplazados según el gusto personal y el uso que se le vaya a dar a la caja.

5 Para la base exterior de la caja aplicar una mano de acrílico neotemple amarillo, lijar suavemente y aplicar otra mano. Repetir este proceso tres veces, para lograr un color parejo y sin vetas.

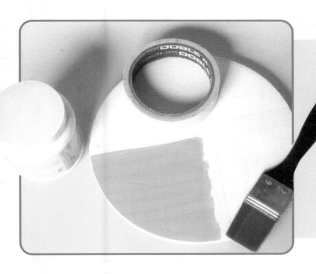

6 Con lápiz y regla, marcar la tapa por el medio, dividiéndola en cuatro partes iguales. Colocar sobre la marca la cinta de enmascarar a modo de separador. Pasar tres manos de verde lima en una de las partes.

7 Una vez seco el primer color, colocar la cinta de enmascarar sobre el cuarto pintado, y pincelar con acrílico azul francés, evitando que los colores se superpongan y se manchen unos con otros. Dar tres manos. Dejar secar.

8 Repetir el paso anterior en el siguiente cuarto, y aplicar tres manos de acrílico magenta. Completar el cuarto restante con tres manos de acrílico amarillo. Dejar secar muy bien. Con el pincel fino, o con un marcador y una regla, realizar una sombra en las uniones.

CAJA FANTASÍA

9 Con marcador color oro realizar unas líneas que simulen costuras en la base por ambos lados opuestos, tal como se observa en la fotografía.
Una vez que todo esté bien seco, es aconsejable dar una mano de barniz mate o brillante para realzar el diseño.

10 Finalmente, en la tapa, aplicar laca y antes de que seque, un poco de purpurina oro.
Una vez seco, pasar una mano con sombra natural, y con pincel liner realizar puntos a modo de perforaciones. Luego, hacer líneas con marcador oro extra fino imitando una costura, uniendo un punto con otro en forma diagonal. Aplicar barniz al agua y satinado en toda la tapa.

PATRONES Y MOLDES

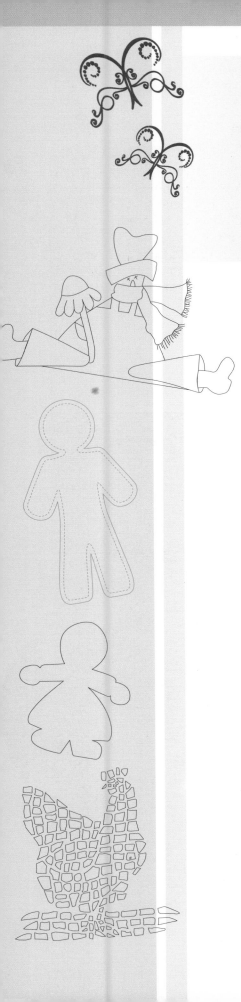

La creatividad se puede expresar de muchas maneras. Realizar objetos decorativos para nuestros hogares y para obsequiar a familiares y amistades es una grata tarea, que en algunos casos requiere de la utilización de moldes y patrones que guían el dibujo de las siluetas y los diseños aplicados. En las páginas siguientes se encuentran los moldes que se necesitan para realizar todas las artesanías que se explicaron a lo largo de la obra.

¡Anímense a combinar cariño y buen gusto en la realización de estas labores y disfruten de los resultados!

ÁNGELES CUSTODIOS

CUERPO
(TAMAÑO ORIGINAL)
15 cm x 10 cm

CUERPO
(TAMAÑO ORIGINAL)
9 cm x 8 cm

Ver artesanía en pág. 15

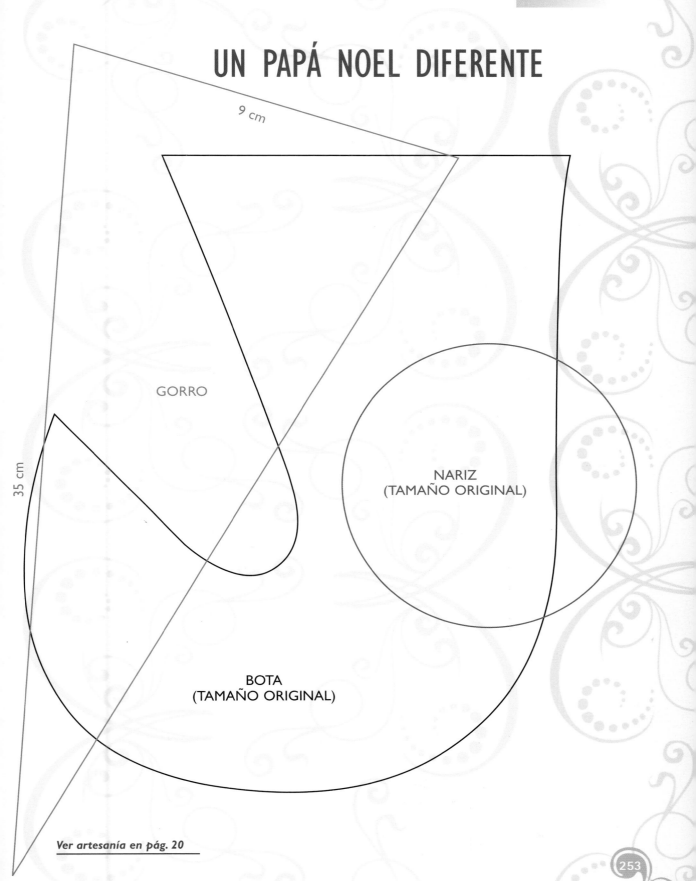

UN PAPÁ NOEL DIFERENTE

9 cm

35 cm

GORRO

NARIZ
(TAMAÑO ORIGINAL)

BOTA
(TAMAÑO ORIGINAL)

Ver artesanía en pág. 20

Moldes

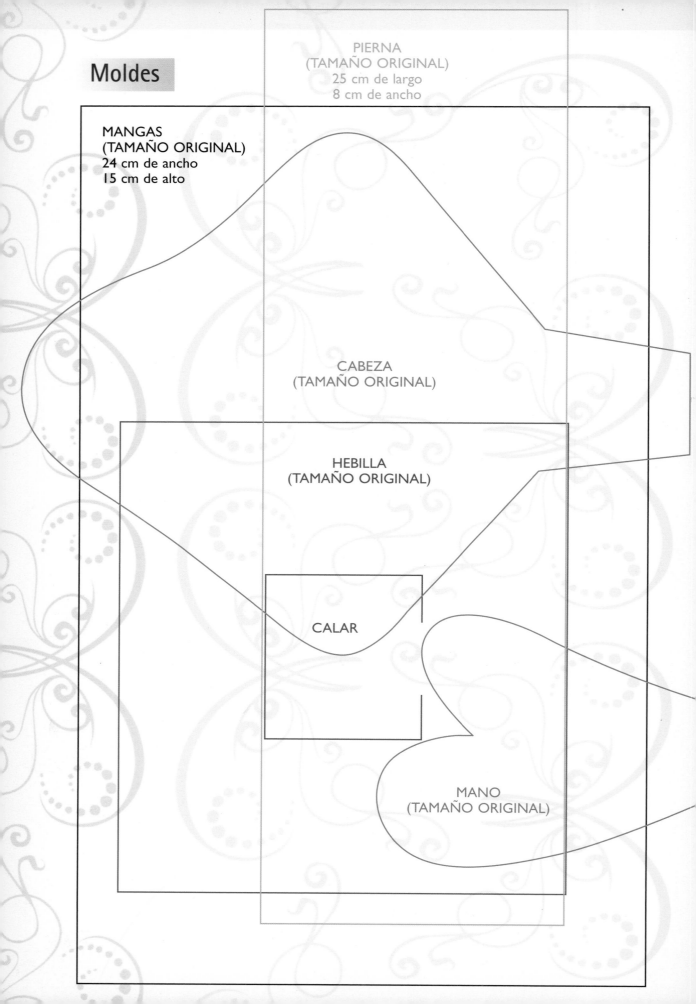

PIERNA
(TAMAÑO ORIGINAL)
25 cm de largo
8 cm de ancho

MANGAS
(TAMAÑO ORIGINAL)
24 cm de ancho
15 cm de alto

CABEZA
(TAMAÑO ORIGINAL)

HEBILLA
(TAMAÑO ORIGINAL)

CALAR

MANO
(TAMAÑO ORIGINAL)

AMIGAS PARA SIEMPRE

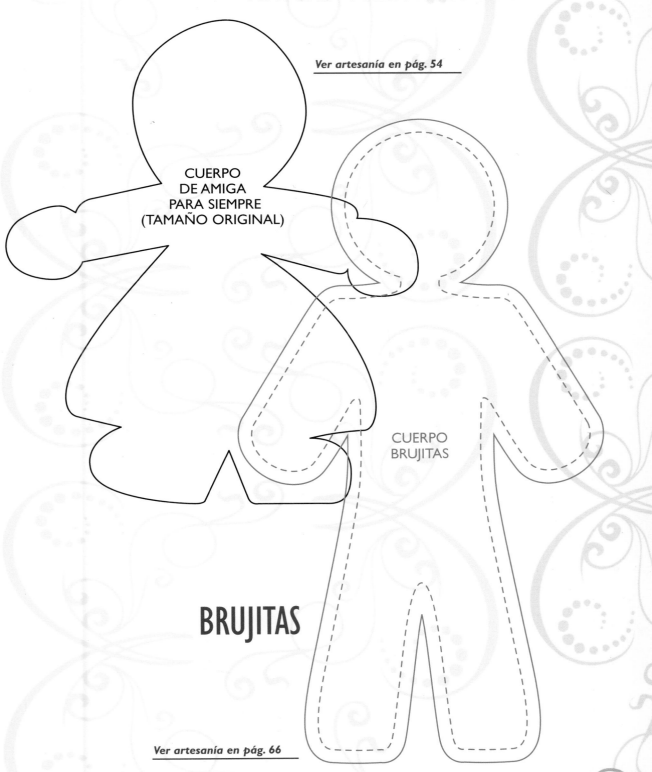

Ver artesanía en pág. 54

CUERPO
DE AMIGA
PARA SIEMPRE
(TAMAÑO ORIGINAL)

CUERPO
BRUJITAS

BRUJITAS

Ver artesanía en pág. 66

255

BAILA BAILARINA

Ver artesanías
en pág. 60, 71 y 76

CABEZA
DE ANGELINA,
BAILA BAILARINA
Y EL HADA MARGARITA
(TAMAÑO ORIGINAL)

CUERPO
BAILA BAILARINA

CUERPO DE TONIA

TONIA

Ver artesanía en pág. 82

RITA

*Ver artesanía
en pág. 88*

CUERPO
DE RITA

*Ver artesanía
en pág. 83*

COLORINDA

CUERPO DE
COLORINDA

*Ver artesanía
en pág. 85*

MELI

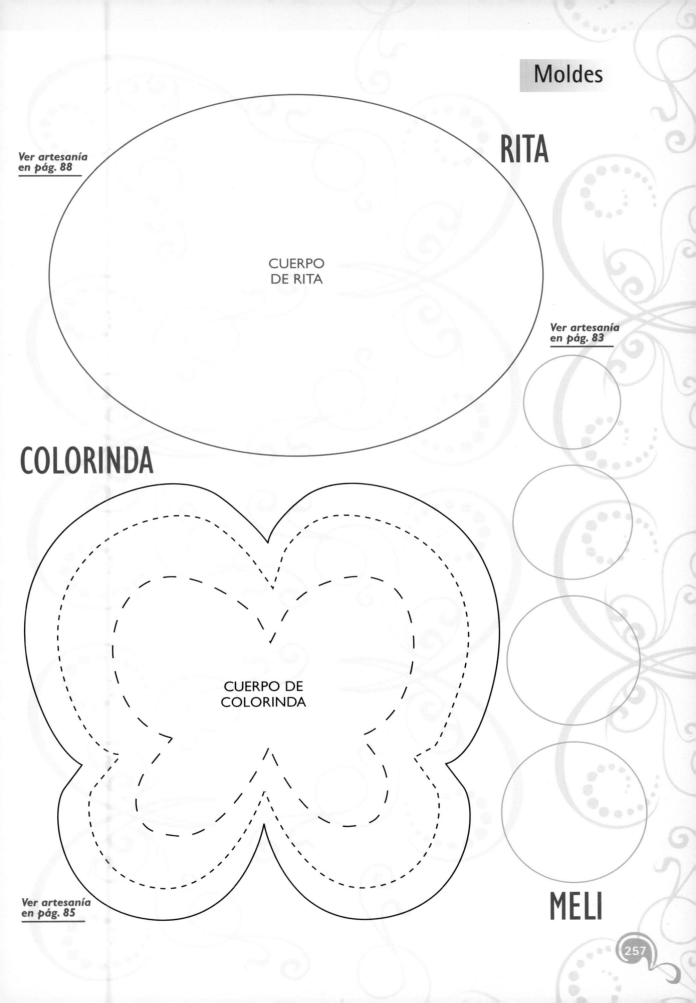

BALDE DE ZINC

Ver artesanía en pág. 103

Draw